Victor Hugo

Notre-Dame de Paris

Adaptation de **Jérôme Lechevalier**
Illustrations d'Irene Bonini

Member of CISQ Federation

CERTIFIED MANAGEMENT SYSTEM
ISO 9001

The design, production and distribution of educational materials for the CIDEB (Black Cat) brand are managed in compliance with the rules of Quality Management System which fulfils the requirements of the standard ISO 9001

Secrétariat d'édition : Maria Grazia Donati
Rédaction : Chiara Blau
Conception graphique : Sara Fabbri, Silvia Bassi
Mise en page : Annalisa Possenti
Recherche iconographique : Alice Graziotin

Direction artistique : Nadia Maestri

Première édition : Janvier 2017

Crédits photographiques :
Shutterstock; iStockphoto; Dreamstime; Rue Des Archives/AGF: 4h; DeAgostini Picture Library: 17; The Print Collector/Getty Images: 18; MONDADORI PORTFOLIO/LEEMAGE: 19; Bridgeman Images: 20; DeAgostini Picture Library: 30(e); © Look and Learn/Bridgeman Images: 43; WebPhoto: 44; Topfoto/AGF: 45; ©WALT DISNEY PICTURES/WebPhoto: 46; DeAgostini Picture Library: 54(f); Rue Des Archives/AGF: 64; MONDADORI PORTFOLIO/©Luc Boegly/Gehry Frank/Artedia/Leemage: 65; Marka: 66; © TITANUS/WebPhoto: 106; Massimo Barbaglia/Marka: 107; DeAgostini Picture Library: 111hc.

Pour toute suggestion ou information, la rédaction peut être contactée à l'adresse suivante :

info@blackcat-cideb.com
blackcat-cideb.com

Imprimé en Novara, Italie, par Italgrafica srl.

Sommaire

DELF Cette icône signale les activités de type DELF.

LE TEXTE EST ENTIÈREMENT ENREGISTRÉ.

Victor Hugo

Victor Hugo, monstre sacré de la littérature française, a dominé tout le XIXe siècle par la puissance de sa poésie, le génie de son imagination et son engagement dans les combats de son époque.

Il nait le 26 février 1802 à Besançon. Son père, d'abord républicain, est général et comte de Napoléon 1er et sa mère est royaliste. À l'âge de 14 ans, Victor Hugo compose déjà des vers et sa première tragédie.

Le romantique

En 1830, il présente sa pièce *Hernani* qui surprend le public par son style audacieux. Hugo devient l'un des meilleurs représentants du nouveau mouvement littéraire, le romantisme. En 1832, il connaît un fort succès avec son roman *Notre-Dame de Paris*. Président de la Société des gens de lettres en 1840, il luttera toute sa vie contre la censure. En 1841, il est nommé à l'Académie française.

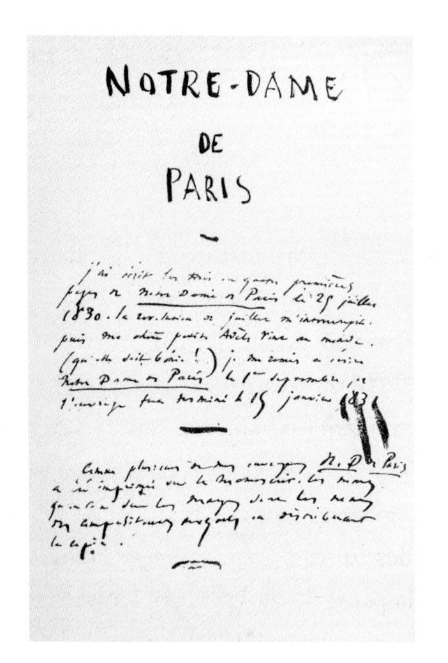

NOTRE-DAME
DE
PARIS

Manuscrit de *Notre-Dame de Paris*.

Le Panthéon, Paris.

L'exil

En 1843, la mort de sa fille Léopoldine le marque à jamais. En 1845, la liaison qu'il entretient avec la femme d'un peintre provoque un scandale public. En 1849, il est élu député de Paris.

En 1851, il doit quitter la France pour des raisons politiques. Il s'installe pendant dix-neuf ans dans les îles anglo-normandes, d'abord à Jersey, puis à Guernesey. Il publie des recueils de poésie (*Les Contemplations*, 1856 ; les trois volumes de la *Légende des Siècles*, 1859, 1877, 1883) et des romans (*Les Misérables*, 1862) dans lesquels résonne son cri contre la peine de mort, contre l'injustice sociale, pour le suffrage universel et pour la liberté de la presse.

Le retour en France

Il rentre en France en 1870 et il est élu sénateur en 1876. Il meurt le 22 mai 1885 à Paris. À ses funérailles, une foule immense l'accompagne au Panthéon où il est enterré avec les grands hommes de France.

Compréhension écrite

1 DELF **Lisez attentivement le dossier et dites si les affirmations suivantes sont vraies (V) ou fausses (F). Puis corrigez les affirmations fausses.**

		V	F
1	Victor Hugo est né à Paris.	☐	☒
	Il naît à Besançon		
2	Victor Hugo compose sa première tragédie à l'âge de 14 ans.	☒	☐
	....		
3	Victor Hugo est l'un des meilleurs représentants du romantisme.	☒	☐
	....		
4	*Notre-Dame de Paris* n'a pas connu le succès à sa sortie.	☐	☒
	il connaît un fort succès avec ce roman		
5	Jersey et Guernesey sont des îles anglo-normandes.	☒	☐
	....		
6	La *Légende des siècles* est un recueil de poésie en trois volumes.	☒	☐
	....		
7	Victor Hugo est pour la peine de mort.	☐	☒
	son cri était contre la peine de mort		
8	Victor Hugo quitte la France en 1870.	☐	☒
	1851		

Personnages

De gauche à droite et de haut en bas :
la recluse de la Tour-Roland, Phœbus de Châteaupers, Fleur-des-Lys, Pierre Gringoire, Claude Frollo, Quasimodo, Esmeralda, Djali.

CHAPITRE 1

Le Pape des fous

piste 02

Cette histoire débute le 6 janvier de l'année 1482. C'est une date ordinaire pour les archives, il n'y aura aucun événement historique à retenir. Simplement, ce jour-là, c'est à la fois le jour des Rois et la fête des fous. Pour l'occasion, les Parisiens se pressent sur l'île de la Cité, parce qu'un mystère[1] va être représenté dans la grande salle du Palais de Justice. Depuis l'aube, des milliers de bons bourgeois[2], calmes et honnêtes, apparaissent aux portes, aux lucarnes, sur les toits et contemplent la foule avec curiosité.

Dans la grande salle du Palais, la foule s'impatiente. Les écoliers[3] ont grimpé sur les fenêtres et de là-haut, ils se moquent[4]

---

1. **un mystère** : pièce de théâtre de la fin du Moyen Âge.
2. **un bourgeois** : au Moyen Âge, habitant plutôt riche d'une ville.
3. **un écolier** : au Moyen Âge, étudiant qui fréquente l'université.
4. **se moquer** : rire de quelqu'un, le tourner au ridicule.

joyeusement du peuple. Le jeune Jehan Frollo du Moulin, petit frère de l'archidiacre[5] de la cathédrale Notre-Dame de Paris, est l'un des plus provocateurs :

— À bas le chef de l'université, crie-t-il.

Un honnête homme, libraire de l'Université, se penche à l'oreille de son voisin, un honnête commerçant :

— Les écoliers d'aujourd'hui ne connaissent plus les bonnes manières ! Depuis qu'il y a l'imprimerie, cette maudite invention, le monde va à sa perte.

La pièce doit se jouer à midi sonnant à la grande horloge du Palais. Hélas, à l'heure dite, sur la scène, il n'y a ni comédiens ni mystère. On doit attendre l'arrivée du cardinal de Bourbon pour commencer.

— Le mystère tout de suite ! à bas le cardinal ! crient les écoliers.

— Commencez tout de suite ! crie le peuple, ou l'on va pendre les comédiens !

Quand un grand jeune homme, blond, maigre et pâle se présente timidement sur l'estrade pour calmer la foule :

— Calmez-vous ! Je m'appelle Pierre Gringoire. Je suis poète et c'est moi l'auteur du mystère. Nous allons commencer sans eux.

Le peuple exulte :

— Noël ! Noël ![6]

Alors sur l'estrade, quatre personnages déguisés de différentes couleurs s'avancent. La foule s'intéresse aux beaux costumes des comédiens, les textes trop sérieux qui sont récités l'ennuient rapidement. Il n'y a qu'un spectateur qui semble émerveillé par le

5. **un archidiacre** : prêtre avec des responsabilités administratives.
6. **Noël ! Noël !** : cri de joie au Moyen Âge.

mystère. Ce spectateur, c'est l'auteur lui-même, fier d'entendre son œuvre. Hélas, son bonheur est bien vite troublé par l'arrivée d'un misérable : un mendiant[7] déguenillé[8] avec une horrible blessure au bras s'assoit sur le bord de la scène et tend son chapeau pour réclamer l'aumône :

— La charité, s'il vous plaît !

— Mais c'est Clopin Trouillefou, s'écrit Jehan Frollo du Moulin. Hier, il était blessé à la jambe, aujourd'hui c'est au bras !

Et l'écolier jette une pièce dans le chapeau du mendiant.

— Continuez ! ordonne Gringoire aux comédiens qui hésitent.

Ils reprennent, mais lorsqu'un huissier[9] annonce l'arrivée du cardinal, le public se distrait de nouveau pour commenter l'entrée de l'important personnage suivi de ses évêques et ses abbés.[10] Les acteurs irrités s'interrompent.

— Continuez ! leur ordonne Gringoire.

Bientôt, c'est une délégation flamande qui perturbe la pièce. Plus personne ne prête attention aux comédiens. Alors, un marchand flamand prend la parole :

— Messieurs les bourgeois de Paris, nous nous ennuyons ! On m'avait promis une belle fête des fous avec l'élection d'un pape. Chez moi, chacun à son tour passe sa tête par un trou pour y faire une grimace.[11] Celui qui fera la plus laide[12] sera élu pape des fous. Qu'en dites-vous ?

---

7. **un mendiant** : personne qui demande de l'argent pour vivre, qui demande la charité.
8. **déguenillé** : vêtu de guenilles (habits tout déchirés, haillons).
9. **un huissier** : employé chargé d'accueillir et d'annoncer les visiteurs.
10. **un évêque et un abbé** : le premier est chef d'église, le second est chef de monastère.
11. **une grimace** : déformation momentanée du visage provoquée par la contraction de certains muscles.
12. **laide** : vraiment pas belle.

Le Pape des fous

L'enthousiasme est général. Il y a sur place tellement de visages laids, qu'on peut espérer une belle grimace. La petite chapelle située en face de l'estrade est choisie pour servir de théâtre pour les grimaces. Un trou au dessus de la porte constitue un cadre idéal pour passer la tête. Une première figure apparaît, les paupières retournées, la bouche grande ouverte et le front tout ridé. La salle éclate de rire. Au fur et à mesure que les concurrents se suivent, ce sont tous les masques du carnaval de Venise qui se succèdent. Quand un tonnerre d'applaudissements,[13] mêlé à une prodigieuse acclamation, vient saluer l'élection du nouveau pape.

— Noël ! Noël ! Noël ! crie le peuple.

Sa laideur est parfaite : un nez grotesque, une bouche en fer à cheval, l'œil gauche caché par un sourcil roux, l'œil droit recouvert d'une énorme verrue [14] et des dents désordonnées et abîmées çà et là. Cette grimace exprime un savant mélange de malice, d'étonnement et de tristesse. On se précipite vers la chapelle pour en faire sortir le bienheureux pape des fous. Et à la surprise générale, on s'aperçoit que la grimace est son visage. Ou plutôt que toute sa personne est une grimace : une grosse tête avec des cheveux roux en désordre, une bosse[15] énorme entre les épaules, des jambes difformes qui ne se touchent qu'aux genoux, de larges pieds et des mains monstrueuses. Bref, une espèce de cyclope,[16] massif et difforme avec une redoutable allure de vigueur et d'agilité. Le peuple le reconnaît sur le champ :

— C'est Quasimodo le bossu, le sonneur[17] de Notre-Dame !

13. **un tonnerre d'applaudissements** : tout le monde tape dans ses mains.
14. **une verrue** : sorte de gros bouton sur la peau.
15. **une bosse** : le dromadaire a une bosse sur son dos, le chameau en a deux.
16. **un cyclope** : homme qui n'a qu'un œil, un borgne.
17. **un sonneur** : personne chargée de sonner les cloches d'une église.

— Oh ! le vilain singe, dit une femme en se cachant le visage.

— Aussi méchant que laid, dit une autre.

— C'est le diable, ajoute encore une autre.

— Il est devenu sourd à force de sonner les cloches, explique une vieille femme.

Le pauvre bossu est tellement étonné qu'il observe sans réaction tous ces hommes ordinaires qui l'acclament. On lui met sur la tête une couronne en carton, on l'habille avec la soutane[18] du pape des fous et on l'assoit sur un chariot de toutes les couleurs. Ainsi, la procession hurlante et déguenillée se met en marche pour faire, selon l'usage, la promenade des rues et des carrefours. Une espèce de joie douloureuse et orgueilleuse éclaire la face sombre du cyclope.

Dans la salle, le pauvre Gringoire se désole.

— Ces Parisiens sont des ânes, ils n'ont vraiment aucune éducation !

18. **une soutane** : robe des ecclésiastiques.

Après la lecture

Compréhension écrite et orale

piste 02

1 DELF **Écoutez et lisez le chapitre, puis remettez les phrases dans l'ordre chronologique.**

- a ☐ Un tonnerre d'applaudissements vient saluer l'élection du nouveau pape des fous.
- b ☐ On doit attendre l'arrivée du cardinal de Bourbon pour commencer.
- c ☐ Quatre personnages déguisés de différentes couleurs s'avancent.
- d ☐ Depuis l'aube, des milliers de bons bourgeois contemplent la foule.
- e ☐ Un grand jeune homme blond se présente timidement sur l'estrade.
- f ☐ Dans la grande salle du Palais, la foule s'impatiente.
- g ☐ Un marchand flamand prend la parole.
- h ☐ L'écolier jette une pièce dans le chapeau du mendiant.

2 **Choisissez les phrases qui correspondent à l'histoire.**

1. a ☐ Le 6 janvier 1482 est une date importante dans l'histoire de France.
   b ☐ Le 6 janvier 1482 est une date ordinaire pour les archives.
2. a ☐ Le jeune Jehan Frollo est un écolier très sérieux.
   b ☐ Le jeune Jehan Frollo est l'un des écoliers les plus provocateurs.
3. a ☐ Pierre Gringoire est l'auteur du mystère.
   b ☐ Pierre Gringoire est un comédien de la pièce de théâtre.
4. a ☐ Clopin Trouillefou est un marchand flamand.
   b ☐ Clopin Trouillefou est un mendiant déguenillé.
5. a ☐ Il y a dans la salle beaucoup de visages laids.
   b ☐ Les gens qui assistent au mystère sont très beaux.
6. a ☐ Quasimodo est l'archidiacre de Notre-Dame.
   b ☐ Quasimodo est le sonneur de cloches de Notre-Dame.

Enrichissez votre vocabulaire

3 DELF À l'aide du texte, associez chaque expression à sa signification.

1 ☐ Les Parisiens se pressent sur l'île de la Cité.
2 ☐ Le monde va à sa perte.
3 ☐ Son bonheur est troublé par l'arrivée d'un misérable.
4 ☐ Plus personne ne prête attention aux comédiens.
5 ☐ La grimace est son visage.
6 ☐ Le peuple le reconnaît sur le champ.
7 ☐ Oh ! le vilain singe.
8 ☐ Ces Parisiens sont des ânes.

a Que cette personne est laide !
b Les Parisiens viennent en grand nombre sur l'île de la Cité.
c Ces Parisiens sont des ignorants, des imbéciles.
d Le monde se dirige vers une catastrophe.
e Un mendiant perturbe la pièce de théâtre et gâche le plaisir de l'auteur.
f Il est tellement laid qu'il n'a pas besoin de faire de grimace pour faire peur.
g Les gens ne s'intéressent plus à la pièce de théâtre.
h Les gens le reconnaissent immédiatement et sans aucune hésitation.

4 Appropriez-vous les expressions de l'exercice précédent. Choisissez-en quatre et écrivez une phrase avec chacune d'entre elles.

1 ....
2 ....
3 ....
4 ....

5 Associez chaque mot à la photo correspondante.

1 Une lucarne
2 Une horloge
3 Un cyclope
4 Un âne
5 Un singe
6 Un chariot

Production écrite et orale

6 À l'oral, choisissez un des personnages du chapitre et imaginez sa vie. Comment est sa maison ? A-t-il une famille ? Quelles sont ses activités ? Son travail, ses loisirs, etc.

7 DELF À l'écrit. Racontez votre film préféré en le présentant en trois parties distinctes. Vous décrirez les personnages principaux au fur et à mesure de leur apparition dans l'histoire (160-180 mots).

....

....

....

....

....

Notre-Dame au Moyen Âge.

Paris au Moyen Âge

Au XVe siècle, Paris se divise en trois parties distinctes et séparées. Chacune possède ses propres coutumes et son histoire : il y a la Cité, l'Université et la Ville.

La Cité

La Cité est la partie la plus ancienne et la plus petite de Paris. Elle est située au cœur de la ville, sur l'île du même nom. Au milieu des vingt-et-une églises, la cathédrale Notre-Dame est le bâtiment le plus haut. Construite entre 1182 et 1225, c'est un véritable chef d'œuvre de l'art gothique, avec de nombreuses innovations architecturales.

L'université

L'Université se situe sur la rive gauche de la Seine. De ce côté du fleuve, les écoliers sont chez eux. Quarante deux collèges et quelques belles abbayes sont dispersés au milieu des groupes de maisons. L'édifice le

La Sorbonne au Moyen Âge.

plus important est la Sorbonne qui, au Moyen Âge, est moitié collège et moitié monastère.

La Ville

Située sur la rive droite de la Seine, la Ville est la partie des marchands avec les Halles, le grand marché couvert. Mais il y a aussi la Cour des miracles, lieu dangereux fréquenté par les voleurs, et la place de Grève où l'on pend les condamnés à mort. Vers l'ouest, au bord du fleuve, il y a le vieux palais du Louvre, résidence royale depuis le XIIIe siècle.

Depuis 1482, l'époque où se déroule le roman *Notre-Dame de Paris*, plus de 500 ans se sont écoulés. La ville a bien changé. Mais un promeneur attentif n'aura aucun mal à retrouver les lieux et les places fréquentés par Esmeralda et Quasimodo.

Plan de les Halles au Moyen Âge.

Le Louvre au Moyen Âge.

Compréhension écrite

1 DELF **Lisez attentivement le dossier et dites si les affirmations suivantes sont vraies (V) ou fausses (F).**

		V	F
1	La Cité, l'Université et la Ville constituent le Paris du XVe siècle.	✓	
2	La Cité est une île.	✓	
3	La cathédrale Notre-Dame est construite au XIe siècle.		✓
4	Les arcs-boutants sont une innovation de l'architecture gothique.	✓	
5	Au Moyen Âge, la Sorbonne est un collège et un monastère.	✓	
6	La place de Grève est sur la rive gauche de la Seine.		✓
7	Le Louvre est une résidence royale depuis le XIIIe siècle.	✓	
8	Il n'existe plus aucune trace du Paris d'Esmeralda.		✓

CHAPITRE 2

Le Poète et la bohémienne

La nuit tombe de bonne heure en janvier. Les rues sont déjà sombres quand Gringoire sort du Palais. Sans argent, le pauvre poète ne sait pas où dormir. Il ne veut plus voir la procession du pape des fous. Il va traverser la Seine par le pont Saint-Michel, mais des enfants jettent çà et là des pétards et des feux d'artifice.[1]

— Au diable les feux d'artifice ! dit Gringoire.

En regardant le fleuve à ses pieds, une horrible tentation le prend :

— Oh ! dit-il, j'aimerais bien me noyer, mais l'eau est bien trop froide !

---

1. **un feu d'artifice** : pétard lumineux.

Puisqu'il ne peut échapper à la fête, il décide de s'y enfoncer. Il se dirige vers la place de Grève.

— Au moins, pense-t-il, je pourrai me réchauffer auprès du feu de joie.[2]

La place de Grève est un lieu sinistre : il y a au milieu du pavé un gibet[3] et un pilori[4] permanents. Mais lorsque Gringoire y arrive, une foule considérable fait cercle autour du feu de joie. Devant le feu, sur un vieux tapis d'Orient, une jeune fille de seize ans, brune à la peau dorée, danse au son d'un tambourin. Les épaules nues, elle tourne gracieusement sur elle-même. Ses yeux noirs lancent des éclairs envoûtants.

— En vérité, pense Gringoire, c'est une salamandre, c'est une déesse !

À ce moment, une des tresses de la chevelure de la « salamandre » se détache, et une pièce de métal jaune roule à terre.

— Hé non ! dit-il, c'est une bohémienne.[5]

Au milieu de tous ces visages éclairés de la lumière rouge du feu qui tremble, il y en a un qui semble plus fasciné que tous les autres. C'est la figure d'un prêtre sévère et sombre. Même s'il est encore jeune, trente-cinq ans, il a déjà perdu ses cheveux, il est chauve. De temps en temps il sourit douloureusement et soupire.

La jeune fille, à bout de souffle, s'arrête enfin, et le peuple l'applaudit amoureusement.

— Djali, dit la bohémienne, à votre tour.

Alors une jolie petite chèvre blanche aux cornes dorées se

---

2. **un feu de joie** : grand bûcher allumé pour les fêtes.
3. **un gibet** : structure sur laquelle on pend les condamnés à mort.
4. **un pilori** : poteau sur lequel on expose les criminels.
5. **une bohémienne** : tzigane, membre de tribus nomades. Au Moyen Âge, on croit que les bohémiens viennent d'Égypte, on les appelle les égyptiens.

place au centre du tapis. En s'asseyant, la danseuse présente gracieusement son tambourin à la chèvre.

— Djali, dit-elle, à quel mois de l'année sommes-nous ?

La chèvre lève son pied de devant et frappe un coup sur le tambourin pour désigner le mois de janvier. La foule applaudit.

— Djali, reprend la jeune fille, à quel jour du mois sommes-nous ?

Djali frappe six coups sur le tambourin.

— Djali, poursuit l'égyptienne, à quelle heure du jour sommes-nous ?

Djali frappe sept coups. Au même moment, l'horloge de la Maison-aux-Piliers sonne sept heures. Le peuple est émerveillé.

— Sacrilège ! Il y a de la sorcellerie là-dessous, dit l'homme chauve.

La bohémienne se retourne.

— Ah ! dit-elle, c'est ce vilain homme !

Alors elle fait une légère grimace avec sa bouche, pirouette sur le talon, et présente son tambourin pour recueillir les dons du public. Gringoire, les poches vides, est bien gêné. Heureusement, un incident inattendu vient à son secours.

— T'en iras-tu, fille d'Égypte, cigale[6] d'enfer ? crie une horrible voix qui provient du coin le plus sombre de la place.

La jeune fille se retourne effrayée, elle a peur. Ce n'est plus la voix de l'homme chauve, c'est une voix de femme, une voix dévote et méchante. Cependant, ce cri amuse une troupe d'enfants qui se trouve sur la place.

— C'est la recluse de la Tour-Roland ! s'écrient-ils en riant.

---

6. **une cigale** : gros insecte qui émet un bruit strident et monotone.

Le Poète et la bohémienne

À ce moment là, la procession du pape des fous arrive place de Grève. Depuis son départ du Palais, la procession s'est organisée chemin faisant, et a rassemblé sur son passage tous les voleurs et les vagabonds de la ville : il y a le duc d'Égypte, chef des bohémiens, monté sur un cheval, et ses égyptiens en haillons. Ensuite, il y a le roi de l'argot,[7] assis dans une petite voiture traînée par deux grands chiens, accompagné de ses voleurs éclopés.[8] L'empereur de Galilée, majestueux dans sa robe de pourpre, et ses clercs[9] de la chambre des comptes sont présents eux aussi. Les grands officiers de la fête des fous portent le chariot sur lequel est assis le nouveau pape des fous, le sonneur de cloches de Notre-Dame, Quasimodo le bossu. C'est la première fois que Quasimodo éprouve de l'orgueil et de la dignité. Il n'a connu jusque-là que l'humiliation et le rejet pour sa personne et sa condition. Malgré sa surdité, il savoure les acclamations de cette foule. Même s'il déteste tous ces gens parce qu'il sait qu'ils le méprisent habituellement.

Quand soudain, le prêtre chauve et sinistre, que nous avons vu autour du feu, écarte la foule et se précipite sur Quasimodo pour lui arracher[10] la couronne du pape des fous. Gringoire reconnaît le prêtre, qu'il n'avait pas remarqué avant :

— Tiens, s'étonne-t-il, c'est Claude Frollo, l'archidiacre de Notre-Dame. Que veut-il à ce vilain borgne ? Il va se faire dévorer.[11]

En effet, un cri de terreur s'élève. Le formidable Quasimodo saute du chariot, les femmes détournent les yeux pour ne pas le

---

7. **l'argot** : au Moyen Âge, l'ensemble des bohémiens, des voleurs et des mendiants.
8. **éclopé** : handicapé, infirme.
9. **un clerc** : fonctionnaire au Moyen Âge.
10. **arracher** : prendre par la force.
11. **dévorer** : manger tout cru.

voir massacrer l'archidiacre. À la surprise générale, il fait un bond jusqu'au prêtre, le regarde et tombe à genoux, tête baissée et mains jointes. Puis sur un signe de l'archidiacre, il se relève et le suit. La foule se dissipe à leur passage et ils s'enfoncent tous les deux dans une petite rue ténébreuse.

— Voilà qui est merveilleux, dit Gringoire, mais où diable vais-je dîner ?

À tout hasard, le poète se met à suivre la bohémienne qu'il a vu prendre, avec sa chèvre, la rue de la Coutellerie. Tout pensif, il marche derrière la jeune fille qui s'enfonce dans le dédale de ruelles, qui entourent le cimetière des Saints-Innocents.

— Après tout, pense-t-il, elle doit sûrement loger quelque part. Les bohémiennes ont bon cœur. Peut-être peut-elle m'aider ?

Au tournant d'une rue, il la perd de vue et l'entend crier. Il se précipite et, au milieu des ténèbres, il distingue la bohémienne se débattant dans les bras de deux hommes.

— À l'aide ! s'écrie Gringoire en s'avançant courageusement.

L'un des hommes qui tient la jeune fille se jette sur le poète. C'est Quasimodo ! Le bossu attrape Gringoire et le lance loin sur le pavé. Puis il disparaît rapidement dans l'ombre, emportant la jeune fille, comme une écharpe de soie. Son compagnon les suit.

— Au meurtre ! au meurtre ! crie la malheureuse bohémienne.

— Arrêtez misérables et lâchez cette jeune femme ! dit tout à coup la voix de tonnerre d'un cavalier.

C'est le capitaine des archers[12] du roi, vêtu de son armure et son arme à la main, une épée avec une grande lame. Il arrache la bohémienne des bras du bossu stupéfait que quinze ou seize archers saisissent et font prisonnier. Dans la lutte, le compagnon du sonneur a disparu.

---

12. **un archer** : combattant armé d'un arc. Agent de police au Moyen Âge.

La bohémienne fixe son sauveur avec une tendresse et une admiration infinies. Elle lui demande d'une douce voix :

— Comment vous appelez-vous, monsieur le gendarme ?

— Capitaine Phœbus de Châteaupers, pour vous servir, ma belle ! répond l'officier.

Merci, dit-elle.

Et elle se laisse glisser du cheval et s'enfuit.

— Corne de Dieu ! dit le capitaine en faisant ligoter[13] Quasimodo, j'aurais préféré garder la jeune femme.

Au coin de la rue, quand Gringoire reprend connaissance, il est allongé au milieu du ruisseau des eaux ménagères.

— Diable de cyclope bossu ! râle-t-il en se bouchant le nez. La boue de Paris sent vraiment mauvais.

Alors, difficilement, il se remet en marche pour revenir sur ses pas. Mais il comprend rapidement qu'il s'est perdu quand il croise trois mendiants qui l'empêchent de passer pour lui demander de l'argent. L'un est cul-de-jatte,[14] l'autre est boiteux[15] et le dernier aveugle.[16] Gringoire se dépêche pour leur échapper, mais les mendiants retrouvent miraculeusement jambes, vue et vigueur et le poursuivent. En avançant dans cette rue, Gringoire croise d'autres culs-de-jatte, aveugles, boiteux et borgnes qui sortent des caves et des petites rues adjacentes. À l'extrémité de la rue, il arrive sur une place immense où mille lumières éparses brillent dans le brouillard de la nuit et éclairent d'étranges groupes en haillons.

---

13. **ligoter** : attacher quelqu'un avec des cordes pour empêcher sa liberté de mouvement.
14. **un cul-de-jatte** : personne qui n'a pas, ou plus, de jambes.
15. **un boiteux** : personne qui marche mal à cause d'une mauvaise jambe.
16. **un aveugle** : personne privée du sens de la vue, qui ne voit pas.

— Où suis-je ? demande le poète terrifié.

— Dans la Cour des Miracles, répond une voix peu amicale.

C'est la célèbre Cour des Miracles, cet endroit de Paris où même les archers du roi ne peuvent pas rentrer. C'est là que vivent tous les voleurs et les truands. [17]

— Tu es entré dans le royaume d'argot sans être argotier. [18] Tu vas être puni, déclare une voix accusatrice.

Gringoire la reconnaît. C'est celle du misérable qui a perturbé son mystère ce midi. Souvenez-vous de Clopin Trouillefou : « la charité, s'il vous plaît ». Mais ce soir, il n'a plus de blessure au bras. C'est là le miracle de cette fameuse Cour : le jour, les mendiants demandent la charité à travers la ville. Ils provoquent la pitié des passants en se faisant passer pour des culs-de-jatte, des aveugles ou des boiteux. La nuit venue, de retour dans la Cour, ils retrouvent toute leur vigueur. Et Clopin, l'homme qui menace Gringoire n'est pas n'importe qui, c'est même le chef des truands. Ici, on l'appelle le roi d'argot, ou encore roi de Thunes. Le lecteur l'a croisé au milieu de la procession du pape des fous, il était assis dans sa petite voiture trainée par deux grands chiens. À ses côtés, le duc d'Égypte et de bohême et l'empereur de Galilée boivent et trinquent. [19]

— Tu vas être pendu, continue Clopin, roi d'argot. À moins qu'une femme ne veuille de toi pour mari. Camarade, tu vas épouser une truande ou la corde !

Et s'adressant à la foule des truands :

— Holà ! femmes, y-a-t-il parmi vous une femme qui veuille de cet homme ?

---

17. **un truand** : au Moyen Âge, mendiant professionnel, membre d'une communauté de voleurs.
18. **un argotier** : membre du royaume d'argot. Voleur et mendiant.
19. **trinquer** : cogner son verre contre celui d'un autre avant de boire à la santé de quelqu'un.

— Qu'on le pende ! Il y a aura du plaisir pour toutes, répondent les truandes.

Gringoire se voit déjà mort quand un cri s'éleve parmi les argotiers :

— Esmeralda ! Esmeralda !

Gringoire regarde stupéfait la bohémienne qui s'adresse à Clopin :

— Je le prends !

Alors, le duc d'Égypte apporte une cruche[20] d'argile.

— Jetez-là à terre, dit Esmeralda à Gringoire.

La cruche se casse en quatre morceaux.

— Vous êtes mari et femme, annonce le duc d'Égypte. Pour quatre années !

Drôle de conclusion pour la journée d'un poète qui ce matin encore pensait triompher avec son mystère. Ce soir, il échappe à la pendaison[21] pour épouser la plus jolie fille de Paris. Alors il se laisse aller à rêver à sa nuit de jeune marié.

Mais pour l'égyptienne, l'amour a déjà un autre visage. Elle répète tendrement le nom de Phœbus.

— Ne te fais pas d'illusion, Gringoire. Je ne voulais pas te voir pendu, c'est tout. Moi, je suis une enfant perdue. Cette amulette que je porte au cou est le seul souvenir de mes parents. Une magicienne m'a prédit que je ne les retrouverai qu'à condition de rester pure. Et je veux pouvoir les retrouver un jour !

Alors, elle quitte la pièce et le laisse passer la nuit seul.

---

20. **une cruche** : récipient avec une poignée pour servir des boissons.
21. **une pendaison** : mise à mort au moyen d'une corde passée autour du cou.

Après la lecture

Compréhension écrite et orale

1 DELF **Écoutez et lisez le chapitre, puis indiquez la bonne réponse.**

1. Au mois de janvier, les jours sont *longs* / *courts*.
2. Pierre Gringoire est *désespéré* / *ravi* du succès de sa pièce.
3. Le peuple applaudit *amoureusement* / *timidement* la jeune danseuse.
4. Les poches de Gringoire sont *pleines* / *vides*.
5. C'est la première fois que Quasimodo éprouve de *l'orgueil* / *la haine*.
6. Le bossu attrape Gringoire et le jette sur *le lit* / *le pavé*.
7. Le capitaine des archers tient *une épée* / *un fusil* à la main.
8. *Quasimodo* / *Gringoire* se perd dans la Cour des Miracles.
9. La cruche se casse en *quatre* / *trois* morceaux.
10. Esmeralda répète *tendrement* / *méchamment* le nom de Phœbus.

Enrichissez votre vocabulaire

2 **Associez chaque mot à la photo correspondante.**

1. Un feu d'artifice
2. Un tapis d'Orient
3. Chauve
4. Une procession
5. Une couronne
6. Un pont

3 DELF **Choisissez la bonne réponse ou les bonnes réponses.**

1 Une foule considérable.
- a ☐ Des gens pas sympathiques.
- b ☑ Un très grand nombre de personnes.
- c ☐ Trois personnes seulement.

2 Être à bout de souffle.
- a ☐ Quand il y a trop de vent.
- b ☑ Être essoufflé.
- c ☐ Respirer difficilement.

3 La foule se dissipe.
- a ☐ Les gens s'en vont.
- b ☐ Les gens se rassemblent.
- c ☑ La foule disparaît.

4 Revenir sur ses pas.
- a ☑ Refaire le chemin parcouru.
- b ☐ Aller toujours en avant.
- c ☐ Ne plus avancer.

5 Demander la charité.
- a ☐ Vendre quelque chose.
- b ☑ Réclamer de l'argent.
- c ☐ Donner de l'argent.

6 Épouser la corde.
- a ☐ Se marier avec une femme laide.
- b ☐ Grimper à l'aide d'une échelle.
- c ☑ Être pendu.

Grammaire

L'impératif et les pronoms personnels compléments

Lorsque le verbe est à l'impératif affirmatif, les pronoms personnels compléments d'objet direct ou indirect se placent après le verbe. Le trait d'union est obligatoire entre le verbe et le complément. Attention, à l'impératif affirmatif, les pronoms compléments **me** et **te** deviennent **moi** et **toi**.

*Regarde-**nous** ! Parle-**moi** ! Dépêche-**toi** !*

Lorsque le verbe est à l'impératif négatif, les pronoms personnels compléments d'objet direct ou indirect se placent avant le verbe.

*Ne **nous** regarde pas ! Ne **me** parle pas ! Ne **te** dépêche pas !*

4 **Mettez les phrases suivantes à l'impératif.**

1 Tu l'achètes. ....Achètes-toi....
2 Vous ne me parlez pas. ....Ne me parlez pas....
3 Nous ne les invitons pas. ....Ne les invitons pas....
4 Nous le prenons. ....Prenez-t-il....
5 Tu lui souris. ....Souris-t-il....
6 Tu ne leur dis pas. ....Ne leur dis pas....
7 Vous ne le montrez pas. ....Ne le montrez pas....
8 Vous nous suivez. ....Suivez-nous....

Production écrite et orale

5 **À l'oral. Racontez la fête la plus importante de votre ville, de votre village ou de votre pays.**

6 DELF **À l'écrit. Avez-vous déjà mis les pieds dans un quartier peu rassurant ? Décrivez les aspects qui vous semblent inquiétants, expliquez ce qui vous effraie et racontez vos émotions (160-180 mots).**

CHAPITRE 3

Quelle Justice pour Quasimodo ?

Arrêtons-nous un instant, cher lecteur, sur deux personnages singuliers de notre histoire. Qui sont donc l'archidiacre de Notre-Dame et son sonneur ?

Destiné depuis son enfance à l'état ecclésiastique, Claude Frollo a tout étudié : la théologie, le droit, la médecine, les sciences des plantes et les langues, latin, grec et hébreu. À dix-huit ans, quand ses parents meurent de la grande peste de 1466, il hérite de quelques propriétés mais surtout il se retrouve responsable de son jeune frère Jehan qu'il place chez une nourrice. Il a vingt ans et est alors un jeune prêtre de Notre-Dame quand un dimanche, le premier après Pâques, celui où la prière commence par « *Quasi modo geniti infantes* » («comme des enfant nouveaux nés», de la

child minder

même manière que les nouveaux nés), donc un dimanche de la Quasimodo il décide d'adopter un petit être monstrueux exposé sur le lit de bois [1] de la cathédrale et dont personne ne veut.

Grâce à son père adoptif, Quasimodo est devenu le sonneur de Notre-Dame. Il est méchant parce qu'il est sauvage et il est sauvage parce qu'il est laid. Sa cathédrale lui suffit, les statues, monstres et démons de pierre, n'ont pas de haine pour lui.

Avec l'âge, le prêtre s'est mis à mépriser les hommes et à détester tout particulièrement les femmes. Le bruit d'un vêtement de soie fait tomber aussitôt son capuchon [2] sur ses yeux. Il n'aime plus que la science et l'alchimie [3] qu'il pratique dans une petite cellule secrète aménagée dans une des tours de la cathédrale. Seul son frère Jehan, l'écolier indiscipliné qui fréquente les tavernes, [4] l'inquiète.

En 1482, Quasimodo a environ vingt ans. Claude environ trente-six. L'un a grandi, l'autre a vieilli.

Le matin du 7 janvier, c'est lendemain de fête, jour de tristesse pour tout le monde. Au Châtelet, on va juger les criminels. Remarquons que les juges font en sorte de choisir comme jour d'audience [5] leur jour de mauvaise humeur pour la décharger sur quelqu'un, au nom du roi, de la loi et de la justice.

La salle est petite et basse. Il n'y a qu'une seule fenêtre, par laquelle passe un pâle rayon de soleil qui éclaire deux figures grotesques : le démon de pierre sculpté dans le plafond et

---

1. **le lit de bois** : planche sur laquelle on déposait les enfants abandonnés.
2. **un capuchon** : pièce de tissu attachée au col d'un manteau et qui sert à couvrir la tête.
3. **l'alchimie** : pratique qui a pour but la transformation des métaux ordinaires en or.
4. **une taverne** : lieu où l'on servait à boire.
5. **une audience** : séance pendant laquelle le tribunal écoute et juge les affaires pénales.

maître Florian Barbedienne, le juge assis au fond de la salle. Ce dernier a un léger défaut :[6] il est sourd ! Il pense tromper[7] le public en donnant l'impression d'écouter. Mais personne n'est dupe.[8] En particulier, Jehan Frollo du Moulin, l'écolier qu'on est toujours sûr de rencontrer partout dans Paris, excepté dans la classe de ses professeurs.

— Par Hercule ! c'est notre prince d'hier, notre pape des fous, s'écrie-t-il en voyant entrer Quasimodo, ligoté et bien gardé.

Ayant lu avec attention le dossier de la plainte[9] dressée contre Quasimodo, le juge renverse la tête en arrière et ferme les yeux à demi, pour se donner une attitude magistrale. De cette manière, il est à la fois sourd et aveugle pour commencer l'interrogatoire.

— Votre nom ?

Voici un cas qui n'a pas été « prévu par la loi » : celui d'un sourd qui doit interroger un sourd. Quasimodo n'entend rien et regarde le juge fixement. Le juge, pensant que l'accusé a répondu, poursuit sûr de lui.

— C'est bien. Votre âge ?

— (silence de Quasimodo).

— C'est bien. Vous êtes accusé de tentative d'enlèvement et de rébellion envers les archers du roi. Qu'avez-vous à dire ?

— (silence de Quasimodo).

— Greffier, avez-vous écrit tout ce que l'accusé a dit ?

À cette question, le public, le greffier et les sergents de ville éclatent de rire. Le juge pense que c'est la réponse idiote de l'accusé qui provoque cette réaction.

— Ah ! tu provoques la justice, misérable ! Messieurs les

---

6. **un défaut** : une imperfection, un handicap.
7. **tromper** : faire croire une fausse chose à quelqu'un, abuser de lui.
8. **ne pas être dupe** : ne pas se laisser tromper.
9. **une plainte** : dénonciation d'un acte criminel.

sergents, vous me mènerez ce drôle au pilori de la Grève, vous le battrez une heure.

Le greffier, pris de pitié, s'approche de l'oreille de maître Barbedienne et lui dit en lui montrant le pauvre Quasimodo :

— Cet homme est sourd.

Mais le juge a l'oreille si dure qu'il ne comprend pas un mot du greffier. Et comme il veut faire croire qu'il a entendu, il répond :

— Ah, ah ! Alors c'est différent ! Je ne savais pas cela. Une heure de pilori de plus, en ce cas.

La justice claire, explicite et expéditive va droit au but.

Laissons le temps à Quasimodo d'être mené sur le pilori et observons, pour patienter, ces trois braves dames qui traversent la place de Grève. À leur façon de marcher, on peut voir que les deux premières, au pas rapide, sont des Parisiennes qui font visiter leur ville à la troisième dame, une provinciale [10] au pas plus lent. Cette dernière, qui vient de Reims, tient à sa main un gros garçon qui tient lui-même une grosse galette. [11]

— Dépêchez-vous mademoiselle Mahiette, dit la plus jeune des trois, qui est aussi la plus grosse. Nous allons être en retard. On nous a dit au Châtelet qu'on allait le mener tout de suite au pilori.

— Ah bah ! que dites-vous là, damoiselle Oudarde ? reprend l'autre Parisienne. Il va rester deux heures au pilori. Nous avons le temps.

— Montrez-moi donc votre recluse de la Tour-Roland, demande Mahiette la provinciale. Nous avons une galette pour elle.

À l'angle de la place, sur un côté de la maison de la Tour-Roland, s'ouvre une petite fenêtre protégée par des barreaux. [12]

---

10. **une provinciale** : personne qui vit en province, en dehors de Paris.
11. **une galette** : gâteau rond.
12. **barreaux** : barres de bois ou de métal qui empêchent de passer par cette fenêtre.

C'est la seule ouverture d'une étroite cellule, noire et humide comme une tombe.[13] Depuis près de trois siècles, des femmes ayant une grande douleur ou voulant se punir de leurs fautes, s'y enferment volontairement.

Quand Mahiette passe la tête à travers les barreaux, elle découvre une femme assise sur le sol de pierre, le menton appuyé sur les genoux que ses deux bras croisés serrent fortement contre sa poitrine. Elle est vêtue d'un sac brun qui l'enveloppe toute entière et elle fixe un petit soulier posé au sol. C'est une très jolie chaussure rose d'enfant.

— Oh, s'écrie Mahiette en passant sa tête par la lucarne, je la reconnais. C'est Paquette la Chantefleurie. Il y a quinze ans à Reims, des égyptiens ont enlevé[14] sa fille Agnès qui n'avait qu'un an.

Surprises, les deux Parisiennes écoutent la dame Mahiette raconter qu'un jour que Paquette était sortie faire une course, en rentrant sa fille n'était plus là, il ne restait plus qu'un de ses deux jolis souliers qu'elle avait elle-même cousus. La mère affolée a cherché son enfant partout sans le trouver. Le soir en retournant dans sa maison, il y avait une sorte de petit être, hideux, boiteux et borgne qui semblait avoir quatre ans. Comme elle ne voulait pas de ce monstre inconnu, il a été envoyé à Paris pour être exposé sur le lit de bois de Notre-Dame, comme enfant trouvé.

Quand soudain, la recluse bondit sur ses pieds nus et colle sa triste figure aux barreaux avec des yeux si terribles que la grosse Parisienne, Oularde, Mahiette et l'enfant fuient jusqu'à la Seine.

— Maudite sois-tu fille d'Égypte ! voleuse d'enfant ! hurle la recluse.

---

13. **une tombe** : trou où l'on enterre les morts.
14. **enlever** : ici, enlever quelqu'un à sa famille.

À ce moment là, sur la place, autour du pilori et du gibet, Quasimodo arrive ligoté. On le fait monter sur la plate-forme, on le met à genoux sur la planche circulaire et on l'y attache. La foule éclate de rire quand elle voit sa bosse à nu, sa poitrine de chameau et ses grosses épaules poilues. La roue se met à tourner et le bourreau [15] fouette [16] le dos monstrueux de Quasimodo qui supporte en silence les coups les plus atroces.

À la fin du supplice, [17] le pauvre sonneur, déchiré, maltraité et moqué sans relâche, crie d'une voix fatiguée et furieuse :

— À boire !

Cette exclamation de détresse [18] n'émeut pas les spectateurs, au contraire, elle provoque les moqueries. Une femme lui lance même une pierre à la tête.

— À boire ! répète Quasimodo.

Mais voilà que la foule s'écarte pour laisser passer une jeune fille. C'est Esmeralda qui s'approche et, détachant sa gourde [19] de sa ceinture, elle la porte doucement aux lèvres du misérable. Celui-là même qui avait tenté de l'enlever la veille.

Alors, dans l'œil si sec et si brûlé du bossu, la foule voit rouler une grosse larme. Tout le peuple en est saisit et se met à battre des mains en criant :

— Noël ! Noël !

— Maudite sois-tu, fille d'Égypte ! crie la recluse depuis la lucarne de son trou.

---

15. **un bourreau** : personne chargée des peines corporelles ou de la peine de mort.
16. **fouetter** : frapper avec un fouet (lanière de cuir au bout d'un manche).
17. **un supplice** : peine corporelle entraînant ou non la mort.
18. **la détresse** : angoisse causée par un sentiment d'abandon, par une situation désespérée.
19. **une gourde** : récipient servant à conserver une boisson lors d'un déplacement.

Après la lecture

Compréhension écrite et orale

piste 04

1 **DELF** **Écoutez et lisez le chapitre, puis choisissez la bonne réponse ou les bonnes réponses.**

1 Claude Frollo a étudié
- a ☐ le droit.
- b ☐ la médecine.
- c ☐ la théologie.

2 Quasimodo est méchant parce qu'il est
- a ☐ sauvage.
- b ☐ petit.
- c ☐ vieux.

3 Le lendemain de fête est un jour de
- a ☐ joie.
- b ☐ tristesse.
- c ☐ repos.

4 On peut rencontrer Jehan Frollo du Moulin
- a ☐ dans la classe de ses professeurs.
- b ☐ à Rome.
- c ☐ partout dans Paris.

5 Quasimodo ne répond pas aux questions du juge parce qu'il
- a ☐ est de mauvaise humeur.
- b ☐ ne les entend pas.
- c ☐ a faim.

6 Le pas des Parisiennes est
- a ☐ rapide.
- b ☐ lent.
- c ☐ comme celui des provinciales.

7 Une recluse s'enferme volontairement
- a ☐ pour faire des économies.
- b ☐ à cause d'une très grande douleur.
- c ☐ pour se punir d'une faute.

8 À la fin du supplice, Quasimodo crie d'une voix
- a ☐ fatiguée.
- b ☐ mélodique.
- c ☐ furieuse.

2 **Retrouvez le personnage.**

1 Elle vient de Reims et visite Paris avec son enfant : Mademoiselle Mahiette

2 Enfant abandonné, il a été exposé sur le lit de bois de la cathédrale : Quasimodo

3 Il est sourd et travaille au tribunal : Florian Barbedienne

4 On est sûr de le rencontrer partout dans Paris, excepté dans la classe de ses professeurs : Jehan Frollo du Moulin

Enrichissez votre vocabulaire

3 **DELF** **Choisissez le synonyme de chaque adjectif souligné.**

1 Claude Frollo décide d'adopter un petit être monstrueux.
- a ☐ rigolo
- b ☐ mignon
- c ☑ horrible

2 Jehan est un écolier indiscipliné.
- a ☑ désobéissant
- b ☐ sérieux
- c ☐ endormi

3 Un pâle rayon de soleil passe par la fenêtre.
- a ☐ beau
- b ☑ faible
- c ☐ intense

4 Le juge se donne une attitude magistrale.
- a ☑ dominatrice
- b ☑ digne
- c ☐ détendue

5 La recluse colle sa triste figure aux barreaux.
- a ☐ belle
- b ☑ funeste unfortunate ill fated
- c ☐ grande

6 Quasimodo supporte en silence les coups les plus atroces.
- a ☐ sympathiques
- b ☑ cruels
- c ☐ gentils

Grammaire

L'accord du participe passé avec l'auxiliaire *avoir*.

Pour les verbes conjugués avec l'auxiliaire *avoir*, l'accord du participe passé, en genre et en nombre, se fait seulement si le complément d'objet direct (COD) précède le verbe.

Claude Frollo a étudié les langues. → *Claude Frollo* ***les*** *a étudi****ées****.*

4 **Remplacez le COD par le pronom qui convient, puis accordez le participe passé.**

1 L'archidiacre a placé son frère chez une nourrice.
" lui a placé " " "
2 Quasimodo a sonné les cloches.
Q les a sonné
3 La justice a condamné les criminels.
La justice les a condamné
4 Le juge a dissimulé ses défauts.
Le juge les a dissimulé
5 Quasimodo n'a pas entendu les questions du juge.
Q ne les a pas entendu
6 Paquette a cherché sa fille.
Paquette l'a cherché
7 Quasimodo a supporté les coups sans un cri.
Q les a supporté sans un cri
8 Esmeralda a donné sa gourde à Quasimodo.
Es. l'a donné à Q

Production écrite et orale

5 **À l'oral. Vous avez lu dans un livre, un journal ou vous avez vu à la télévision, au cinéma, une scène de procès judiciaire. Racontez comment cela se passe. Qui sont les personnages principaux ?**

6 **DELF À l'écrit. Racontez un événement personnel qui vous a semblé injuste, décrivez vos sentiments face à l'injustice et ses conséquences, puis exposez vos propositions pour que cet événement ne se reproduise plus (160-180 mots).**

Quasimodo et autres monstres au bon cœur

Les monstres existent depuis toujours dans la littérature : il y a le cyclope de *L'Odyssée* d'Homère ou encore l'ogre du *Petit Poucet* de Charles Perrault. Mais la figure de Quasimodo est bien différente.

Le bossu de Notre-Dame

Quasimodo est difforme et effrayant, mais sa laideur sert surtout à mettre en valeur la cruauté des autres. Ainsi lorsqu'il est mené au pilori de la place de Grève, la foule s'amuse de sa souffrance. Les véritables monstres sont les moqueurs. Si Quasimodo est « méchant », c'est qu'il s'est toujours senti repoussé et qu'il n'a connu que la haine. Cependant,

Quasimodo et Notre-Dame.

il respecte l'archidiacre Claude Frollo qui l'a recueilli et il se sent infiniment reconnaissant envers Esmeralda quand celle-ci lui donne à boire. Avec la figure de Quasimodo, Victor Hugo joue sur le paradoxe de la belle âme dans un corps monstrueux.

Des êtres en mal d'amour

Le conte pour enfants du XVIIIe siècle *La Belle et la Bête* joue déjà sur ce paradoxe : Belle, une douce jeune fille, est contrainte de vivre chez la terrible Bête, un homme à l'aspect monstrueux. Mais elle va découvrir un être généreux qui ne demande qu'à aimer et à se faire aimer en retour. Ce conte apprend aux enfants à distinguer la laideur morale de la laideur physique.

Frankenstein, film de James Whale, 1931.

Le Fantôme de l'Opera au théâtre.

Le roman *Frankenstein ou le Prométhée moderne* de Mary Shelley est un autre exemple : la créature du docteur Frankenstein (le monstre n'a pas de nom dans le roman) est un être attachant mais désespéré parce qu'il a compris que les hommes le rejettent. C'est la société des hommes qui le rend mauvais.

Le Fantôme de l'Opéra, roman de Gaston Leroux, et le film *Elephant Man* de David Lynch présentent aussi des personnages à l'allure repoussante qui ne demandent qu'à être considérés comme des être humains.

Soigner les monstres

Aujourd'hui, nous avons appris à ne plus juger les gens sur leur physique. Il existe une « science des monstres », la *tératologie* qui étudie et soigne les anomalies et les malformations les plus extravagantes. Est-ce un hasard si ce mot apparaît pour la première fois dans la langue française en 1832, l'année même de la publication de *Notre-Dame de Paris* ?

Compréhension écrite

1 **DELF** **Lisez attentivement le dossier et dites si les affirmations suivantes sont vraies (V) ou fausses (F).**

		V	F
1	Le cyclope et l'ogre sont deux figures de monstre.	✓	
2	La laideur de Quasimodo sert à mettre en valeur la beauté des autres.	✓	
3	Victor Hugo joue sur le paradoxe de l'âme monstrueuse enfermée dans un beau corps.	✓	
4	*La Belle est la Bête* est un conte pour enfants.	✓	
5	Mary Shelley a écrit le roman *Frankenstein ou le Prométhée moderne*.	✓	
6	Frankenstein est le nom d'un docteur.	✓	
7	*Elephant Man* est un roman de Gaston Leroux.		✓
8	Le mot *tératologie* est apparu dans la langue française en 1482.		✓

La Belle et la Bête, studios Disney, 1991.

CHAPITRE 4

Des Amours et des secrets

Plusieurs semaines se sont écoulées. On est le 25 mars. C'est une journée de printemps tellement douce et belle que tous les Parisiens se promènent à travers la ville, comme un dimanche. C'est le moment où le soleil s'incline déjà et regarde Notre-Dame presque de face.

Dans le clocher sud de la cathédrale, Quasimodo se sent presque musicien. Il court d'une cloche à l'autre et d'une corde à l'autre. Il aime ses cloches auxquelles il a donné un nom et leur parle :

— Gabrielle, Thibauld, Guillaume, Pasquier, Jacqueline, et toi, la grosse Marie, sonnez fort à travers la place.

Quand à un moment donné, en observant la place en bas, il aperçoit Esmeralda qui déroule son tapis. Alors, il s'arrête, tourne le dos au carillon et fixe sur la danseuse un regard rêveur, tendre et doux.

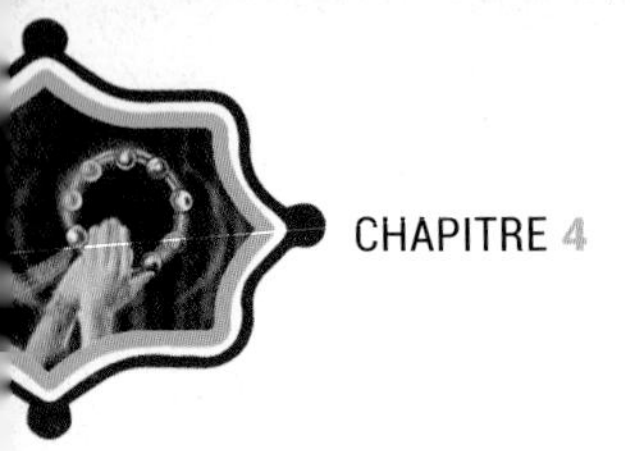

CHAPITRE 4

Sur le sommet de la tour nord de la cathédrale, un autre personnage ne quitte pas des yeux la jeune danseuse. Cet autre personnage, c'est l'archidiacre Claude Frollo qui constate avec étonnement la présence d'un homme auprès d'Esmeralda.

— Qui est-ce ? se demande-t-il. Je l'ai toujours vue seule !

Alors, l'archidiacre court précipitamment vers l'escalier.

De l'autre côté de la place, face à la cathédrale teintée de rouge par le soleil couchant, sur le balcon de pierre d'une riche maison qui fait l'angle, de belles jeunes filles bavardent[1] et s'amusent. À leurs côtés se tient un beau jeune homme portant le brillant habit de capitaine des archers du roi. Le lecteur aura reconnu le capitaine Phœbus de Châteaupers. L'expression de son visage trahit un sentiment d'ennui qu'un sous-lieutenant de garnison traduirait admirablement par : « Quelle corvée ! ».[2]

Autrement dit, l'officier s'ennuie chez la veuve Gondelaurier et sa fille Fleur-de-Lys, la jeune fille qu'il doit épouser prochainement. Fleur-de-Lys tente de ranimer l'intérêt de son fiancé.

— Tenez, lui dit-elle en posant tendrement sa main sur le bras de Phœbus, regardez cette petite qui danse sur le parvis.[3] Est-ce la bohémienne que vous avez sauvée, il y a deux mois, des mains d'une douzaine de voleurs ?

— Oui, je la reconnais à sa chèvre.

— Beau cousin, dit Fleur-de-Lys, faites lui signe de monter. Cela nous amusera.

Phœbus se penche à la fenêtre.

— Petite ! crie-t-il en lui faisant signe de monter.

---

1. **bavarder** : parler beaucoup de choses sans importance.
2. **une corvée** : obligation pénible. Par exemple, la corvée du ménage.
3. **un parvis** : place qui s'étend devant la façade principale d'une église.

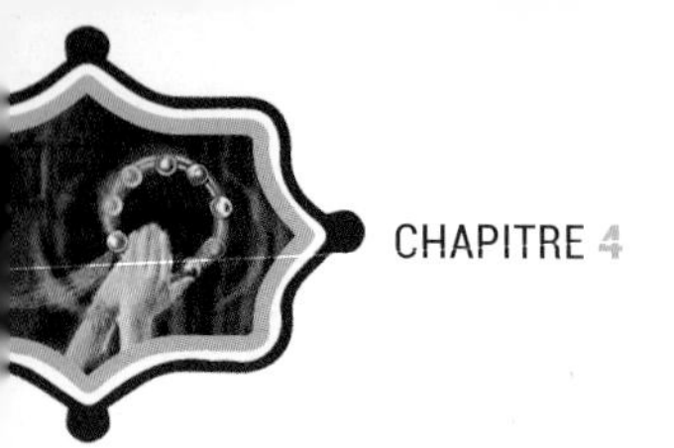

CHAPITRE 4

La bohémienne lève les yeux vers le balcon, son regard se fixe sur Phœbus et elle rougit[4] violemment. Alors, elle prend son tambourin sous le bras et se dirige vers la maison, au milieu de la foule étonnée.

Un moment après, elle paraît à la porte de l'appartement, ses grands yeux baissés et n'osant faire un pas de plus. Elle est si belle qu'elle semble illuminer la maison. Devant pareille beauté, les filles de la maison, jalouses, lui réservent un accueil glacial. Mais Phœbus rompt le silence :

— Ma parole, voilà une charmante créature ! Belle enfant, je ne sais pas si j'ai le suprême bonheur d'être reconnu de vous...

Esmeralda l'interrompt en levant sur lui un sourire et un regard plein de douceur.

— Oh oui ! dit-elle.

— Tu as disparu bien vite, ce soir-là, et tu m'as laissé avec ce gros sonneur de cloches. Il a payé très cher son insolence.

— Pauvre homme ! dit la bohémienne qui se remémore la scène du pilori.

— Corne de bœuf ![5] éclate de rire le capitaine.

De leur côté, Fleur-de-Lys et ses amies se sentent exclues de la conversation. Alors, ne pouvant critiquer ni la beauté parfaite ni l'attitude irréprochable de la bohémienne, elles s'attaquent à ses vêtements :

— Quelle tenue de sauvageonne ![6]

— Une jupe vraiment trop courte !

— Si tu mettais une manche à ton bras, il serait moins brûlé par le soleil.

---

4. **rougir** : devenir rouge sous l'effet d'un sentiment, d'une émotion, de la timidité.
5. **corne de bœuf !** : exclamation virile du capitaine. Il en a d'autres comme corne de Dieu, etc.
6. **une sauvageonne** : fille qui a grandi sans éducation, comme une sauvage.

Les mauvais mots pleuvent sur la bohémienne. Quand l'arrivée de Djali offre une nouvelle fois l'occasion à Fleur-de-Lys d'essayer de distraire Phœbus :

— On dit qu'elle est sorcière et que sa chevrette fait des tours miraculeux. Oh, l'animal a un petit sachet de cuir pendu au cou. Qu'est-ce que c'est ?

— C'est mon secret, répond gravement Esmeralda.

— À propos, belle d'amour, comment vous appelez-vous ? demande Phœbus.

Et pendant que la bohémienne répond aux demandes du capitaine, une des jeunes filles attire la chèvre dans un coin, détache le sachet du cou de l'animal et vide son contenu sur le tapis. C'est un alphabet dont chaque lettre est inscrite séparément sur une petite tablette de bois. Immédiatement, la chèvre sélectionne avec sa patte certaines lettres et compose le nom de Phœbus.

— Voilà le secret ! pense Fleur-de-Lys.

Trop sensible, Fleur-de-Lys s'évanouit. Esmeralda est pétrifiée.[7] La veuve Gondelaurier la chasse de sa maison.

Après quelques hésitations, Phœbus suit Esmeralda.

Quand l'archidiacre, que nous avons quitté sur une des tours de la cathédrale, sort sur la place, la bohémienne a déjà disparu. L'homme qui était avec elle a pris sa place et fait des tours de saltimbanque.[8] L'archidiacre le reconnaît aussitôt.

— Notre-Dame ! Maître Gringoire, vous faites là un beau métier !

---

7. **pétrifiée** : rendue immobile, comme une pierre, sous le coup d'une émotion violente.
8. **un saltimbanque** : artiste ou acrobate de rue.

— Que voulez-vous, les plus beaux alexandrins ne valent pas sous la dent un morceau de fromage de Brie. Autrement dit, un poète doit bien manger aussi et la poésie ne remplit pas son ventre.

— Et vous êtes maintenant en compagnie de cette danseuse d'Égypte ?

— C'est qu'elle est ma femme !

— Oh, misérable ! As-tu été assez abandonné de Dieu pour porter la main sur cette fille ?

— Sur ma part du paradis, je vous jure que je ne l'ai jamais touchée ! Ma femme veut rester pure.

L'archidiacre veut en savoir plus, mais Gringoire parle davantage de la chèvre que de la fille.

— Figurez-vous que Djali sait même écrire le mot Phœbus !

— Phœbus, qui est-ce ?

— Ce n'est peut-être pas le nom de quelqu'un. En latin, c'est le Dieu du soleil. Vous savez, ces bohémiens ont des croyances singulières. Mais pourquoi tant d'intérêt pour Esmeralda ?

Rouge comme la joue d'une jeune fille, l'archidiacre reste un moment sans répondre.

— Jure-moi que tu n'as pas touché à cette créature du bout du doigt et va-t-en au diable ! crie-t-il avec un regard terrible.

Et poussant Gringoire, il s'enfonce à grands pas à l'intérieur de la cathédrale.

Après la lecture

Compréhension écrite et orale

piste 05

1 DELF **Écoutez et lisez le chapitre, puis indiquez la bonne réponse.**

1 Quasimodo *aime / déteste* ses cloches.
2 Claude Frollo constate *la présence / l'absence* d'un homme auprès d'Esmeralda.
3 La cathédrale est teintée de rouge par le soleil *levant / couchant.*
4 Le capitaine Phœbus *s'amuse / s'ennuie* chez Fleur-de-Lys.
5 Esmeralda semble *illuminer / assombrir* la maison.
6 Les filles sont *admiratives / jalouses* de la beauté d'Esmeralda.
7 La chèvre a un petit sachet de cuir attaché *à la patte / au cou*.
8 Quand l'archidiacre sort sur la place, Esmeralda *a disparu / s'est endormie.*
9 Gringoire parle d'avantage *d'Esmeralda / de la chèvre.*
10 L'archidiacre est rouge comme *les rideaux / la joue d'une jeune fille.*

Enrichissez votre vocabulaire

2 **Les voyelles sont absentes. Retrouvez les mots grâce à leur définition.**

1 Instrument de musique en métal qu'on agite pour qu'il sonne : CL_CH_.
2 Personne qui prend ce qui ne lui appartient pas : V_L_ _R.
3 Petit tambour que l'on frappe : T_MB_ _R_N.
4 Bâtiment plus haut que large : T_ _R.
5 La Terre tourne autour de cette étoile : S_L_ _L.
6 Produit laitier : FR_M_G_.

3 **Associez chaque mot ou expression à la photo correspondante.**

1 Le soleil couchant
2 Un saltimbanque
3 Un balcon
4 Une chèvre
5 Une jupe
6 Un alphabet

Production écrite et orale

4 À l'oral. Racontez votre saison préférée et expliquez pourquoi. Y-a-t-il des activités que l'on ne pratique qu'à cette saison ? Votre humeur est-elle meilleure à ce moment-là de l'année ?

5 DELF À l'écrit. Racontez un évènement en plein air (une partie de ballon, une promenade, etc.) avec du beau temps, puis racontez le même événement avec du mauvais temps. Comparez les deux situations (160-180 mots).

....
....
....

CHAPITRE 5

Un Rendez-vous tragique

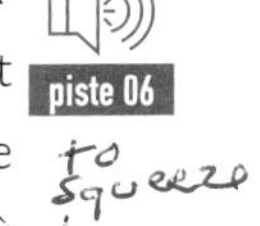

Le 29 de ce même mois de mars, nous retrouvons sur le parvis notre jeune ami Jehan Frollo du Moulin. Il est très joyeux parce qu'il vient de soutirer [1] à son frère l'archidiacre une belle somme d'argent. Pour l'obtenir, il a dû écouter un long sermon [2] et promettre que jeu, boisson et femmes sont du passé. Mais surtout, il a dû jurer [3] qu'il ne raconterait rien de la conversation qu'il a surprise entre son frère et maître Charmolue, procureur du roi. Les deux hommes parlaient de l'arrestation prochaine d'Esmeralda et d'un procès en sorcellerie contre elle. Décidément, l'archidiacre a un problème avec la bohémienne !

---

1. **soutirer** : obtenir quelque chose de quelqu'un en insistant habilement.
2. **un sermon** : discours moralisateur et ennuyeux.
3. **jurer** : promettre avec force quelque chose.

Quand Jehan s'éloigne de la cathédrale, l'archidiacre est en train de contempler avec Charmolue une sculpture du portail. Quand quelqu'un crie une série de jurons.[4] L'écolier reconnaît tout de suite l'homme au vocabulaire de garnison.

— Capitaine Phœbus, voulez-vous venir boire ? demande l'écolier.

— Corne et tonnerre ! — répond le capitaine — Je veux bien, mais je n'ai pas d'argent.

— J'en ai, moi ! dit Jehan. J'ai un frère archidiacre et imbécile.

— Corne de Dieu ! s'écrie Phœbus. J'aime cet archidiacre ! Allons à *La Pomme d'Ève*.

En entendant le nom de Phœbus, ce nom maudit, Claude Frollo quitte maître Charmolue pour suivre discrètement les deux jeunes gens. Au détour d'une rue, le bruit d'un tambourin se fait entendre d'un carrefour voisin.

— Tonnerre, la bohémienne ! s'exclame Phœbus. Je ne veux pas que cette fille me parle dans la rue.

— Esmeralda ? Est-ce que vous la connaissez, Phœbus ? demande l'écolier.

Phœbus dit quelques mots tout bas à l'oreille de Jehan et éclate d'un rire triomphant.

— Vous avez rendez-vous ce soir à sept heures ! s'exclame Jehan. Capitaine Phœbus, vous êtes un heureux gendarme !

— J'ai réservé une chambre chez la vieille Falourdel, dans sa maison sordide[5] du pont Saint-Michel.

Cette conversation trouble profondément l'archidiacre. Quand les jeunes gens pénètrent dans la taverne, il patiente discrètement

---

4. **un juron** : expression grossière, gros mot.
5. **sordide** : misérable, sale, repoussant.

à l'extérieur, le visage caché sous le capuchon d'un vieux manteau noir qu'il vient d'acheter au coin de la rue. Un peu avant sept heures, Phœbus quitte le cabaret[6] et l'archidiacre le suit comme une ombre à travers les rues désertes. L'officier s'aperçoit qu'il est suivi. Il est fort, il n'a pas peur des voleurs, et puis il n'a pas d'argent. Mais cette ombre inquiétante lui rappelle l'histoire d'un moine bourru[7] qui terrorise le peuple parisien. Alors, il s'arrête et dit, en s'efforçant de rire :

— Monsieur, si vous êtes un voleur, comme je l'espère, adressez-vous à côté ! Je suis un fils de famille ruiné,[8] mon cher.

La main de l'ombre sort de dessous son manteau, s'abat sur le bras du capitaine, et l'ombre lui dit :

— Capitaine Phœbus de Châteaupers.

— Comment diable ! Vous savez mon nom !

— Je ne sais pas seulement votre nom, reprend l'homme au manteau avec sa voix de tombe. Vous avez un rendez-vous dans un quart d'heure chez la Falourdel. Comment s'appelle la femme que vous attendez ?

— Esmeralda, répond Phœbus stupéfait.

— Capitaine Phœbus de Châteaupers, tu mens !

— Christ et Satan, vous m'insultez ! Le sang va couler sur ces pavés ! dit l'officier en tirant son épée.

— Capitaine, vous oubliez votre rendez-vous. Demain, après-demain, dans un mois, dans dix ans, vous me retrouverez prêt à vous couper la gorge, mais allez d'abord à votre rendez-vous.

— Monsieur, grand merci pour votre courtoisie, répond Phœbus avec quelques embarras. Ah, corne-Dieu, je n'ai pas d'argent pour payer la Falourdel...

---

6. **un cabaret** : lieu où l'on sert à boire, taverne.
7. **le moine bourru** : au Moyen Âge, fantôme effrayant vêtu comme un moine.
8. **ruiné** : qui a perdu sa fortune, qui n'a plus de richesse.

— Voici de quoi payer, mais à une condition : prouvez-moi que j'ai eu tort. Cachez-moi quelque part et laissez-moi voir qui est cette femme.

— Oh, cela m'est bien égal. Nous prendrons la chambre à Saint-Marthe. Vous pourrez tout voir depuis le chenil [9] qui est à côté. Je ne sais pas si vous êtes le diable en personne, mais soyons bons amis ce soir. Demain je vous paierai toutes mes dettes, [10] de la bourse et de l'épée.

Chez la vieille Falourdel, Phœbus paie la chambre avec l'écu [11] de l'archidiacre. La vieille femme range la pièce dans un tiroir. Pendant qu'elle monte avec les hommes, un petit garçon prend l'écu et met à la place une feuille d'arbre sèche.

À l'étage, l'archidiacre s'est installé dans le chenil d'où il peut observer, sans être vu, ce qui se passe dans la chambre. Quand Esmeralda entre dans la chambre, le cœur du prêtre bat si fort qu'il s'évanouit. Quand il revient à lui, il voit la jeune fille rouge, confuse et tremblante. Ses longs cils baissés, elle n'ose pas lever les yeux sur Phœbus qui sourit fier et heureux.

— Oh, je sens que ce que je fais est mal, dit-elle, ne me méprisez pas, monseigneur Phœbus. Je manque à une promesse et je ne retrouverai plus mes parents. Mais qu'importe à présent ? Je vous aime. Je veux apprendre votre religion puisque nous allons nous marier.

La figure du capitaine prend une expression mélangée de surprise, de mépris, d'insouciance et de passion libertine.

---

9. **un chenil** : abri pour les chiens.
10. **une dette** : somme d'argent que l'on doit et obligation envers quelqu'un.
11. **un écu** : ancienne monnaie française en or.

— Belle amoureuse, qu'est-ce que c'est que ces folies-là ? Le mariage n'est pas grand-chose ! Nous n'avons pas besoin d'église pour nous aimer.

Sur ce, Phœbus enlève d'un geste rapide le chemisier de l'égyptienne et colle ses lèvres brûlantes sur les belles épaules de la jeune fille. Voyant cela, l'archidiacre défonce la porte du chenil et se précipite furieusement sur les deux amants. Esmeralda voit apparaître une figure livide [12] au regard de damné. [13] Une main serre un poignard [14] qui s'abat sur le capitaine. La pauvre fille, qui n'a même pas la force de pousser un cri, s'évanouit.

Quand elle reprend ses sens, elle est entourée de soldats du guet, [15] on emporte Phœbus baigné dans son sang, le prêtre a disparu, la fenêtre qui donne sur la rivière est toute grande ouverte et elle entend dire autour d'elle :

— C'est une sorcière qui a poignardé un capitaine.

---

12. **livide** : très pâle sous l'effet d'une émotion.
13. **un damné** : personne condamnée aux supplices de l'enfer.
14. **un poignard** : couteau.
15. **un soldat du guet** : il assure la sécurité dans la ville, la nuit.

Après la lecture

Compréhension écrite et orale

1 DELF **Écoutez et lisez le chapitre, puis remettez les phrases dans l'ordre chronologique.**

a ☐ Un enfant s'empare de l'écu et met à la place une feuille sèche.
b ☐ Esmeralda s'évanouit.
c ☐ L'archidiacre poignarde Phœbus.
d ☐ L'archidiacre donne de l'argent à Phœbus.
e ☐ Charmolue et l'archidiacre contemplent une sculpture du portail.
f ☐ Jehan et Phœbus s'en vont boire à *La Pomme de Pain*.
g ☐ Esmeralda entre dans la chambre.
h ☐ Une ombre inquiétante suit Phœbus.

Enrichissez votre vocabulaire

2 **Associez chaque mot à la photo correspondante.**

1 Un portail **2** Un capuchon **3** Des cils **4** Un poignard

a

b

c

d

Grammaire

Les pronoms relatifs *qui* et *que*.

Les pronoms relatifs relient plusieurs phrases et évitent la répétition d'un sujet ou d'un complément déjà cité.

Le pronom relatif ***qui*** a une fonction de sujet. Il ne s'élide jamais.

*Nous retrouvons Jehan **qui** est très joyeux.*

*L'archidiacre contemple une sculpture **qui** décore le portail.*

Le pronom relatif ***que*** a une fonction de complément. Il s'élide devant une voyelle ou un h muet.

*L'archidiacre parle du procès **que** Charmolue doit organiser.*

*Claude Frollo entend le nom de Phœbus **qu'**il maudit.*

3 Complétez les phrases avec *qui*, *que* ou *qu'*.

1 Le manteau .... porte l'archidiacre est noir.
2 La cathédrale .... est sur l'île de la Cité s'appelle Notre Dame.
3 Il ne connaît pas l'homme .... se cache sous son capuchon.
4 Je n'aime pas le plat .... est servi dans l'auberge.
5 Le plat .... j'aime n'est pas au menu.
6 Jehan est un écolier .... ne va jamais en classe.
7 Il prend l'écu .... il remplace par une feuille morte.
8 C'est un capitaine .... une sorcière a poignardé.

Production écrite et orale

4 À l'oral. Vous travaillez un mois pendant l'été. Que ferez-vous de votre premier salaire ?

5 DELF À l'écrit. Décrivez une église, un vieux bâtiment ou un monument ancien de votre région et racontez son histoire (160-180 mots).

Paris, capitale mondiale des cinémas

Si le XIXe siècle est le siècle de la littérature et Victor Hugo est l'un de ses plus grands représentants, le XXe est celui du cinéma, appelé aussi le « 7e art ». En ce début de XXIe siècle, nous sommes à l'heure du multimédia, de la communication et d'Internet. Chacun peut regarder un film sur son smartphone. Cependant les salles de cinéma ne désemplissent pas. Tout particulièrement à Paris.

Le cinéma est né à Paris

Avec plus de 400 écrans, répartis à travers quelque 90 établissements, la ville de Paris est unique au monde.

Les frères Lumière.

Avec 450 à 500 films chaque semaine, les salles parisiennes proposent une programmation très variée : des nouveautés, des films de répertoire, des films pour enfants, des films courts, des documentaires. La plupart des films étrangers sont présentés non seulement en français mais aussi en version originale sous-titrée. On peut ainsi voir des films de tous les pays et de toutes les époques. D'ailleurs, c'est à Paris qu'a eu lieu la fameuse projection des frères Lumière, les inventeurs du cinéma, le 28 décembre 1895. On considère cette date comme la naissance du cinéma.

Pour les jeunes

De nombreuses salles parisiennes proposent des programmes spéciaux pour les jeunes, notamment le mercredi et le samedi. À la fin de la

projection, il y a souvent un débat, afin d'éveiller le sens critique du jeune public et de former les spectateurs de demain.
Pour la sortie du septième épisode de *Star wars*, les jeunes spectateurs ont eu la possibilité de découvrir les premiers films de la saga. Parfois même lors de séances marathons, plusieurs épisodes à la suite !

La Cinémathèque française

Fondée en 1936, la Cinémathèque française est un organisme qui conserve les films, les restaure et les projette à travers des programmations thématiques. Le musée de la Cinémathèque raconte l'histoire fabuleuse du 7e art, avec de nombreux objets originaux.

La Cinémathèque française, Paris.

Des festivals en plein air

Chaque été, le cinéma s'installe gratuitement dans les quartiers de Paris. Au parc de la Villette, on peut regarder des films, confortablement assis dans une chaise longue, et le festival *Cinéma au clair de lune* propose des séances en plein air sur le lieu même de leur tournage. Ces séances ont beaucoup de succès. Les Parisiens sont de grands cinéphiles !

Compréhension écrite

1 DELF **Lisez attentivement le dossier et dites si les affirmations suivantes sont vraies (V) ou fausses (F).**

V F

1 Le XIXe siècle est le siècle du cinéma. 

2 Les salles parisiennes proposent 450 à 500 films chaque mois. 

3 Les frères Lumière sont les inventeurs du cinéma.

4 À Paris, on peut voir les films étrangers en version originale sous-titrée. 

5 Le musée de la Cinémathèque française raconte l'histoire du 8e art. 

6 Le festival *Cinéma au clair de lune* propose des films tournés à Paris.  

CHAPITRE 6

Trois Façons d'aimer

piste 07

Gringoire et toute la Cour des Miracles sont dans une mortelle inquiétude. Depuis plus d'un mois, on ne sait pas ce qu'est devenue Esmeralda, ce qui rend profondément triste le duc d'Égypte et ses amis les truands. On ne sait pas non plus ce qu'est devenue sa chèvre, ce qui rend Pierre Gringoire encore plus triste. Un jour, le poète qui promène son profond chagrin[1] aperçoit une foule à la porte du Palais de Justice. Il s'en approche. Après tout, rien de mieux que le spectacle d'un procès criminel pour dissiper la mélancolie. Les juges sont ordinairement d'une bêtise réjouissante.

Quand Gringoire pénètre dans la vaste salle, la foule, les juges et maître Charmolue écoutent la déposition[2] de la vieille Falourdel.

1. **un chagrin** : grande peine, grande tristesse.
2. **une déposition** : témoignage devant un juge ou un officier de police.

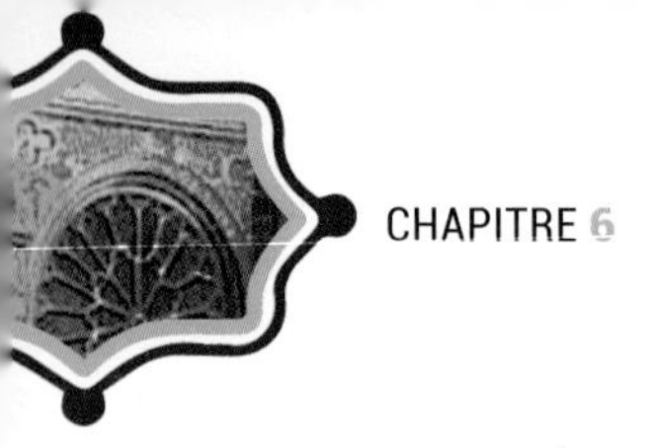

— … et je vois passer devant mes yeux une ombre noire qui tombe dans l'eau. C'était un fantôme habillé en prêtre. Je l'ai vu nager vers la Cité. Mais attendez, le pire c'est que le lendemain quand j'ai voulu prendre l'écu, j'ai trouvé à sa place une feuille sèche. La voici.

Un murmure[3] d'horreur circule dans l'auditoire.

— C'est une feuille de bouleau,[4] dit Charmolue. Nouvelle preuve de la magie.

— Rappelons, dit l'avocat extraordinaire du roi, que dans sa déposition écrite à son chevet,[5] l'officier assassiné[6] a déclaré que l'écu lui a été remis par l'homme noir. Les juges peuvent consulter le dire de Phœbus de Châteaupers.

À ce nom, l'accusée se lève. Gringoire épouvanté reconnaît Esmeralda. Elle est pâle, ses cheveux tombent en désordre et ses lèvres sont bleues.

— Phœbus ! dit-elle avec égarement, où est-il ? Ô messeigneurs, avant de me tuer, par grâce, dites-moi s'il vit encore !

— Taisez-vous, femme, répond le président. Ce n'est pas notre affaire. Huissier, introduisez la seconde accusée.

Tous les yeux se tournent vers une petite porte qui laisse passer une jolie chèvre aux cornes d'or. C'est en effet Djali la seconde accusée. Rien de plus simple alors qu'un procès en sorcellerie intenté à un animal. Gringoire est pris de sueurs froides. Charmolue prend sur une table le tambourin de la bohémienne, le présente à la chèvre et lui demande :

— Quelle heure est-il ?

---

3. **un murmure** : léger bruit de voix basses.
4. **un bouleau** : arbre dont les branches peuvent servir de balai magique pour les sorcières.
5. **à son chevet** : auprès d'un malade allongé dans son lit.
6. **assassiné** : qu'on a tué.

La chèvre frappe sept coups et, en effet il est sept heures. Un mouvement de terreur parcourt la foule. Les gens changent vraiment facilement d'opinion : ils sont effrayés par les tours innocents de Djali dans la salle du Palais de Justice, alors qu'ils les ont applaudis plus d'une fois dans les rues. La chèvre est décidément le diable. C'est pire encore quand le procureur du roi vide le contenu d'un sac en cuir et que l'auditoire voit la chèvre composer ce nom fatal : *Phœbus*. Aux yeux de tous, la bohémienne, cette ravissante danseuse qui a tant de fois ébloui les passants de sa grâce, n'est plus qu'une effroyable sorcière.

— Fille de race bohème, dans la nuit du 29 mars dernier, vous avez poignardé le capitaine des archers du roi, Phœbus de Châteaupers. Reconnaissez-vous l'évidence ?

— Non ! dit-elle avec un accent terrible. C'est un prêtre qui l'a frappé, un prêtre infernal qui me poursuit !

— Étant donné l'obstination douloureuse de l'accusée, dit Charmolue, je requiers l'application de la question.[7]

— Accordé, dit le président.

— Cette sorcière ne respecte rien ! dit un vieux juge, elle se fait donner la question quand on n'a pas dîner !

Esmeralda est poussée par les sergents du palais dans une chambre sinistre où des instruments de torture chauffent sur un feu. Au milieu, il y a un matelas de cuir sur lequel pend une lanière de cuir attachée au plafond à un anneau de métal jaune que mord un monstre sculpté.

7. **question** : ici dans le sens de torture.

— Monsieur le procureur du roi, dit brusquement le bourreau, par où commençons-nous ?

Charmolue hésite un moment, avec la grimace ambiguë d'un poète qui cherche une rime.

— Par le brodequin, dit-il enfin.

Le brodequin est un instrument de torture qui consiste à enfermer le pied du supplicié entre des planches que l'on resserre à l'aide de vis en fer jusqu'à qu'elles écrasent et broient[8] le pied. Esmeralda est terrifiée. Le bourreau l'attache et bloque le joli pied de la jeune fille entre les planches ferrées. Il donne des tours de vis et le brodequin se resserre. La malheureuse pousse un de ces horribles cris qui n'ont d'orthographe dans aucune langue humaine.

— Avouez-vous votre participation aux maléfices de l'enfer ? demande Charmolue. Avouez-vous avoir assassiné le capitaine Phœbus de Châteaupers avec l'aide d'un démon ?

— J'avoue tout ! crie la misérable fille. J'avoue ! grâce !

— Voilà enfin la justice éclairée ! Mademoiselle pourra témoigner que nous avons agi avec toute la douceur possible.

Quand on ramène Esmeralda dans la salle, les juges ont enfin l'espoir de bientôt dîner. Alors, la malheureuse entend la voix glaciale du président :

— La justice triomphe enfin. Fille bohème, le jour où il plaira au roi notre sire, à l'heure de midi, vous serez menée devant le portail de Notre-Dame et y ferez amende honorable et de là vous serez menée en place de Grève, où vous serez pendue et étranglée au gibet de la ville. Et votre chèvre également.

* * *

8. **broyer** : casser en petits morceaux.

Dans l'attente de ce jour, Esmeralda est enfermée dans un cachot[9] noir et humide. Perdue dans les ténèbres, elle ne veille ni ne dort. Un jour, ou peut-être une nuit, elle reçoit la visite de l'archidiacre qui lui avoue son amour depuis qu'il l'a vu danser pour la première fois sur le parvis de Notre-Dame. Si elle lui cède,[10] il la sauvera.

— Quel amour ! dit la malheureuse en frémissant.

Elle repousse le démon qui la poursuit depuis si longtemps. Comme possédé, le prêtre se roule dans les flaques d'eau par terre et se frappe le crâne aux angles des marches de pierre.

— Qu'est devenu mon Phœbus ? demande froidement Esmeralda.

— Il est mort ! crie le prêtre.

— Va-t'en, monstre ! va-t'en assassin ! laisse-moi mourir !

* * *

Un matin ensoleillé de mai, la place de Grève est animée par les préparatifs de l'exécution. En passant devant la Tour-Roland, l'archidiacre entend le rire sinistre de la recluse qui l'interpelle.

— On dit que c'est une égyptienne qui sera pendue aujourd'hui, ricane[11]-t-elle.

— Ma sœur, dit l'archidiacre, vous haïssez donc bien les égyptiennes ?

— Si je les hais ! s'écrie la recluse. Il y en a surtout une que j'ai maudite. Elle a l'âge que ma fille aurait si sa mère ne me l'avait pas enlevée et mangée.

---

9. **un cachot** : cellule au sous-sol pour enfermer les prisonniers.
10. **céder** : pour une femme, se donner à un homme.
11. **ricaner** : rire avec mépris.

— Eh bien, ma sœur, réjouissez-vous, dit le prêtre, glacial comme la statue d'une tombe, c'est celle-là que vous allez voir mourir.

Alors la recluse se promène à grands pas devant les barreaux de sa lucarne, avec l'air d'une louve [12] en cage qui a faim depuis longtemps et qui sent approcher l'heure du repas.

Devant Notre-Dame, le sinistre spectacle commence. Une foule immense, grise, sale et terreuse encombre la place. L'espace devant l'église est vide, protégé par un mur de sergents et de soldats. Les innombrables fenêtres de la place, ouvertes, laissent voir des milliers de têtes entassées.

Quand midi sonne lentement à l'horloge de Notre-Dame, un murmure de satisfaction éclate.

— La voilà ! clame la foule.

Alors, apparaît Esmeralda, menée sur une charrette [13] tirée par un puissant cheval. Elle est en chemise, ses longs cheveux noirs tombent en désordre sur ses épaules à demi découvertes. Elle porte autour du cou une grosse corde grise et rugueuse. [14] Sous cette corde brille son amulette ornée de petits morceaux de verre colorés. On la lui a laissée sans doute parce qu'on ne refuse rien à ceux qui vont mourir.

Maître Charmolue parade en tête du cortège.

Quand la procession funèbre arrive devant le portail central, un chant grave, éclatant et monotone résonne depuis les entrailles de l'église. On la fait descendre, on lui libère les mains et on la pousse pieds nus sur le dur pavé jusqu'aux marches du portail. La corde qui traine derrière elle semble un serpent qui la suit. Alors le chant

12. **une louve** : femelle du loup, mammifère sauvage proche du chien.
13. **une charrette** : voiture à deux roues tirée par un animal.
14. **rugueuse** : qui est dure et désagréable au toucher.

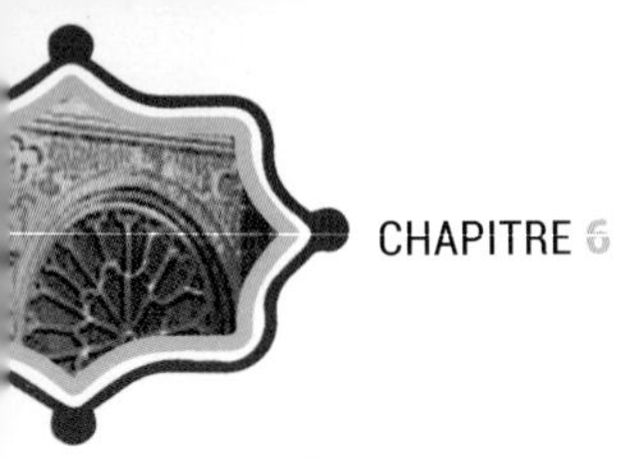

s'interrompt et un prêtre sort de l'église. C'est l'archidiacre. Il se penche à son oreille.

— Veux-tu de moi ? je peux encore te sauver !

— Va-t'en, démon, ou je te dénonce.

— On ne te croira pas. Réponds vite ! veux-tu de moi ?

— Qu'as-tu fait de mon Phœbus ?

— Il est mort. Et bien meurs toi aussi ! dit-il. Personne ne t'aura.

Alors, l'archidiacre prononce une redoutable formule en latin, celle qui a coutume de terminer ces sombres cérémonies. C'est le moment où le prêtre laisse la condamnée au bourreau.

Le peuple se met à genoux.

Tout à coup, alors qu'on lui attache les coudes, Esmeralda aperçoit sur le balcon de l'autre côté de la place, son ami, son seigneur, Phœbus en personne !

Eh oui, cher lecteur, le beau capitaine n'est pas mort ! Les hommes de cette espèce ont la vie dure. Sa blessure [15] guérie, il est allé tout simplement rejoindre sa compagnie hors de Paris, honteux comme un renard qu'une poule aurait pris. Et c'est un peu par hasard que nous le retrouvons ce jour là, chez Fleur-de-Lys à qui il vient de raconter d'habiles mensonges [16] pour expliquer sa disparition de deux mois.

Le juge a menti ! Le prêtre a menti !

Cependant, personne n'a remarqué dans la galerie des statues des rois, au-dessus des ogives [17] du portail de Notre-Dame, un spectateur étrange, immobile comme un de ces monstres de

15. **une blessure** : coup, entaille, que le poignard a laissé sur le corps de Phœbus.
16. **un mensonge** : action de mentir, de dire volontairement quelque chose de faux.
17. **une ogive** : arc diagonal dans la partie supérieure avant le toit.

pierre par la gueule desquels se vident les longues gouttières de la cathédrale. Il a attaché à l'une des colonnettes de la galerie une grosse corde. Tout à coup, au moment où maître Charmolue donne l'ordre au bourreau d'emporter sa victime vers la place de Grève, l'étrange spectateur saisit la corde, glisse le long de la façade, court vers l'égyptienne, la soulève d'une main, comme un enfant sa poupée,[18] et l'emporte jusque dans l'église en criant d'une voix formidable :

— Asile ![19]

— Asile ! asile ! répète la foule.

Et dix mille battements de mains font briller de joie et de fierté l'œil unique de Quasimodo qui réapparaît sur la plate-forme supérieure de la cathédrale, tenant toujours Esmeralda dans ses bras.

---

18. **une poupée** : jouet en forme de personnage.
19. **un asile** : lieu où l'on peut se réfugier et cri pour demander protection.

Après la lecture

Compréhension écrite et orale

piste 07

1 DELF **Écoutez et lisez le chapitre, puis indiquez si les affirmations sont vraies (V) ou fausses (F).**

		V	F
1	On n'a plus de nouvelles d'Esmeralda depuis plus d'un an.		
2	La disparition de la chèvre rend Gringoire triste.		
3	La vieille Falourdel ne dit rien à maître Charmolue.		
4	La foule est effrayée par les tours de Djali.		
5	Maître Charmolue est contre la torture.		
6	Esmeralda avoue tout.		
7	L'archidiacre est amoureux d'Esmeralda.		
8	Phœbus est mort.		
9	Esmeralda s'enfuit seule dans la cathédrale.		
10	Le peuple applaudit Quasimodo.		

Enrichissez votre vocabulaire

2 DELF **Associez les mots ou les expression à leur signification.**

1 ☐ La mélancolie.

2 ☐ Avoir des sueurs froides.

3 ☐ Une sorcière.

4 ☐ Un cachot.

5 ☐ Un démon.

6 ☐ Une tombe.

a Cellule pour enfermer les prisonniers.

b S'inquiéter vivement.

c État de dépression et de tristesse.

d Fosse où on enterre un mort.

e Femme qui possède des dons surnaturels.

f Un diable.

3 **Complétez les mots croisés.**

1 Lieu où l'on peut se réfugier.
2 Titre de Claude Frollo.
3 Jouet apprécié des petites filles.
4 Désespérée, misérable.
5 Ancienne monnaie en or.
6 Ce qu'il y a de plus mauvais.
7 Arbre apprécié des sorcières.
8 Fonction de maître Charmolue.

Production écrite et orale

4 À l'oral. Racontez à quoi ressemble une sorcière selon votre imagination.

5 DELF À l'écrit. Vous êtes journaliste et vous êtes chargé par votre journal d'écrire la chronique judiciaire du procès d'Esmeralda (160-180 mots).

....

....

....

CHAPITRE 7

Sur les toits de la cathédrale

piste 08

Toute ville au Moyen Âge, et toute ville en France, a ses lieux d'asile. Ils sont, au milieu du déluge[1] de lois pénales qui inondent la cité, des espèces d'îles qui s'élèvent au-dessus du niveau de la justice humaine. Tout criminel qui s'y réfugie est sauvé, mais il ne faut pas qu'il en sorte. Un pas hors du sanctuaire et il est repris aussitôt. Il arrive quelquefois qu'un arrêt[2] solennel du parlement viole le refuge et restitue le condamné au bourreau. Mais la chose est rare.

Quasimodo le sait. Il dépose Esmeralda dans une cellule sous

1. **un déluge** : grande quantité de quelque chose.
2. **un arrêt** : une décision de justice.

les arcs-boutants[3] et Djali se serre contre elle. Car l'agile petite chèvre s'est échappée aussi et a suivi sa maîtresse.

— Pourquoi m'avez-vous sauvée ? demande-t-elle.

Le sonneur la regarde avec anxiété comme cherchant à deviner ce qu'elle lui dit. Elle répète sa question. Alors il lui jette un coup d'œil profondément triste et s'enfuit. Quelques moments après il revient avec des vêtements, un panier de provisions et un matelas qu'il étend sur le sol.

— Mangez et dormez, dit-il.

C'est son propre repas et son propre lit que Quasimodo est allé chercher. L'égyptienne lève les yeux sur lui pour le remercier, mais le pauvre diable est si horrible qu'elle baisse la tête avec un tremblement d'inquiétude.

— Je vous fais peur. Je suis bien laid, n'est-ce pas ? Ne me regardez pas. Écoutez-moi seulement. Le jour vous resterez ici, la nuit vous pouvez vous promener dans l'église, mais n'en sortez pas. Vous seriez perdue. On vous tuerait et j'en mourrais.

Il y a dans l'accent du misérable un sentiment si profond de sa misère qu'elle n'a pas la force de dire une parole. D'ailleurs, il ne l'entendrait pas.

— Je suis sourd, continue-t-il. Mais vous me parlerez par gestes, par signes. Je saurai bien vite votre volonté au mouvement de vos lèvres, à votre regard.

— Eh bien ! dit-elle en souriant, dites-moi pourquoi vous m'avez sauvée.

Il la regarde attentivement tandis qu'elle parle.

— J'ai compris, répond-il, vous me demandez pourquoi je vous ai sauvée. Vous avez oublié ce misérable qui a tenté de vous enlever

3. **un arc-boutant** : arc en pierre qui soutient de l'extérieur les murs d'un bâtiment gothique.

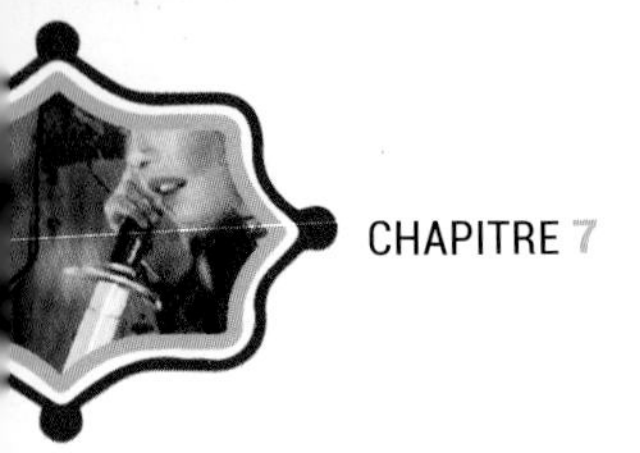

une nuit, un misérable à qui le lendemain même vous avez porté secours sur leur infâme pilori. Une goutte d'eau et un peu de pitié, voilà pourquoi désormais ma vie vous appartient.

Il tire de sa poche un sifflet[4] de métal qu'il dépose à terre.

— Tenez, dit-il, quand vous aurez besoin de moi, vous sifflerez.[5] J'entends ce bruit.

Et Quasimodo s'enfuit.

Claude Frollo n'était plus dans Notre-Dame quand son fils adoptif arrachait la malheureuse au destin fatal que le perfide archidiacre lui avait réservé. Une fois sa redoutable formule latine prononcée, il s'était aussitôt éloigné. Obsédé par cette pauvre fille qui l'a perdu et qu'il a perdue, il a fui hors de la ville. Hanté[6] par la folie de la chasteté,[7] de la science, de la religion et par l'inutilité de Dieu, il sentait éclater en lui-même le rire de Satan.

La nuit est tombée depuis longtemps quand l'archidiacre est de retour dans la cathédrale. Une lampe à la main, il grimpe lentement l'escalier des tours pour trouver refuge auprès de son fidèle Quasimodo. Arrivé sur la plus haute galerie, il contemple un instant les toits de Paris éclairés d'un faible rayon de lune. Quand minuit sonne, le prêtre pense à midi. Ce sont les douze heures qui reviennent.

— Oh ! se dit-il tout bas, elle doit être froide à présent !

Soudain, un souffle de vent éteint sa lampe, et presque en

4. **un sifflet** : petit instrument dans lequel on souffle pour produire un son aigu.
5. **siffler** : souffler dans un sifflet.
6. **être hanté par quelque chose** : avoir l'esprit entièrement occupé par des idées.
7. **la chasteté** : un prêtre fait vœux de chasteté, il ne connaîtra pas les plaisirs de la chair.

même temps il voit apparaître, à l'angle opposé de la tour, une ombre, une blancheur, une femme. C'est elle. Caché dans l'ombre, il distingue Esmeralda.

***

Les jours se succèdent et Quasimodo veille discrètement sur la jeune fille. Quand il lui parle, c'est à travers la porte pour ne pas l'effrayer. Puis, il s'en va raconter sa douleur aux gargouilles,[8] se désespérant de ne pas être lui aussi une statue de pierre.

De son côté l'archidiacre a appris de quelle manière miraculeuse l'égyptienne a été sauvée. Et chaque nuit, son imagination délirante lui représente Esmeralda dans des images de volupté qui font bouillir ses veines. Une nuit, ces images échauffent si cruellement son sang de vierge et de prêtre qu'il saute hors de son lit et sort sa lampe à la main, à moitié habillé. Arrivé à la cellule d'Esmeralda, il éteint sa lampe et se jette sur la jeune fille qui l'a reconnu.

— Va-t'en, monstre ! va-t'en, assassin ! dit-elle en le frappant de toutes ses forces.

— Frappe-moi, sois méchante ! fais ce que tu voudras ! mais grâce ! aime-moi !

En se débattant, elle met la main sur quelque chose de froid et métallique. C'est le sifflet de Quasimodo ! Alors, elle siffle de tout ce qui lui reste de force.

Presque au même instant l'archidiacre est enlevé par un bras vigoureux et voit briller au-dessus de sa tête une large lame de couteau. Tout à coup son adversaire semble pris d'une hésitation.

— Pas de sang sur elle ! dit une voix sourde.

---

8. **une gargouille** : sculpture en forme d'animal fantastique par laquelle l'eau de pluie s'écoule.

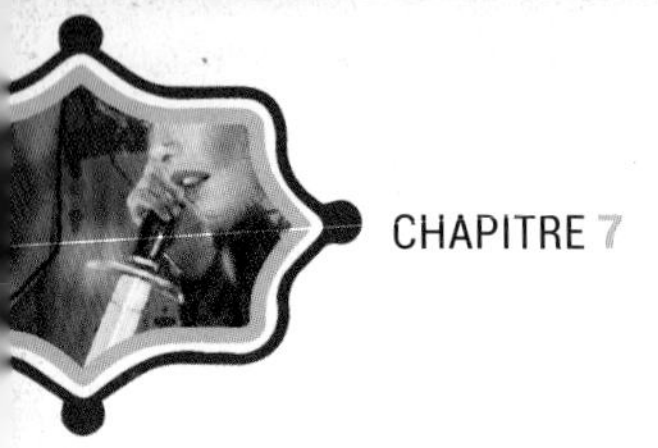

Alors la grosse main de Quasimodo, car c'est bien le sonneur de cloches qui a accouru, traîne le prêtre hors de la cellule, c'est là qu'il doit mourir. À la lumière de la lune. Mais, bien vite, Quasimodo reconnaît l'archidiacre. Le borgne lâche sa proie. Et c'est maintenant le prêtre qui menace, Quasimodo qui supplie.

— Monseigneur, vous ferez après ce qu'il vous plaira, mais tuez-moi d'abord.

Le prêtre hors de lui se jette sur le pauvre bossu qui lui offre son couteau, mais la jeune fille est plus rapide. Elle arrache le couteau et éclate d'un méchant rire furieux.

— Approche ! crie-t-elle au prêtre. Tu n'oses plus approcher, lâche !

Puis elle ajoute avec une expression impitoyable :

— Je sais que Phœbus n'est pas mort !

Le prêtre renverse Quasimodo d'un coup de pied et se replonge en frémissant de rage dans l'escalier. Désormais, c'est de Quasimodo qu'il est jaloux. Alors, il répète sa parole fatale :

— Personne ne l'aura !

Après la lecture

Compréhension écrite et orale

piste 08

1 DELF **Écoutez et lisez le chapitre, puis choisissez la bonne réponse.**

1 Au Moyen Âge, il y a des lieux d'asile dans
- a ☑ toutes les villes de France.
- b ☐ chaque maison.

2 Quasimodo dépose Esmeralda dans une cellule
- a ☑ sous les arcs-boutants.
- b ☐ au sous-sol.

3 Quasimodo tire de sa poche
- a ☐ une pomme.
- b ☑ un sifflet en métal.

4 L'archidiacre sentait éclater en lui-même le rire de
- a ☐ Jehan, son jeune frère.
- b ☑ Satan.

5 L'archidiacre contemple les toits de Paris éclairés par
- a ☑ un faible rayon de lune.
- b ☐ les lampadaires.

6 Quasimodo s'en va raconter sa douleur
- a ☐ à Esmeralda.
- b ☑ aux gargouilles.

7 La nuit, l'archidiacre
- a ☑ fait des rêves qui le troublent.
- b ☐ dort comme un bébé.

8 Désormais l'archidiacre est jaloux de
- a ☑ Quasimodo.
- b ☐ la chèvre Djali.

Enrichissez votre vocabulaire

2 Associez chaque mot à la photo correspondante.

1 Un arc-boutant 2 Des ogives 3 Une gargouille 4 Un matelas

3 DELF Choisissez le synonyme des adjectifs soulignés.

1 Les truands sont dans une mortelle inquiétude.
   a ☑ cruelle b ☐ douce c ☐ belle

2 Les juges sont d'une bêtise réjouissante.
   a ☐ honteuse b ☑ amusante c ☐ navrante

3 Esmeralda est une danseuse ravissante.
   a ☐ moche b ☐ laide c ☑ charmante

4 La salle des tortures est sinistre.
   a ☑ effrayante b ☐ souterraine c ☐ silencieuse

5 Elle est enfermée dans un cachot humide.
   a ☐ confortable b ☑ trempé c ☐ sec

6 Le prêtre prononce une formule redoutable.
   a ☐ rassurante b ☐ longue c ☑ grave

Production écrite et orale

4 À l'oral. Racontez le souvenir d'une fois où vous n'avez pas dormi chez vous (en camping, chez des amis, en vacances) et quelles étaient vos impressions de ne pas vous réveiller dans votre lit.

5 DELF À l'écrit. Vous écrivez une lettre au roi de France pour demander la grâce d'Esmeralda (160-180 mots).

CHAPITRE 8

L'Assaut à la cathédrale

Depuis que Pierre Gringoire a vu comment toute cette affaire tournait, et que décidément il y aura corde, pendaison et autres situations désagréables pour les personnages principaux de cette comédie, il ne veut plus s'en mêler. Les truands, parmi lesquels il est resté, ont continué de s'intéresser à l'égyptienne. Il trouve cela fort simple de la part de gens qui n'ont, comme elle, d'autres perspectives que Charmolue et le bourreau. Il sait que son épouse s'est réfugiée dans Notre-Dame, mais il n'a pas l'intention d'y aller. Il songe quelquefois à la petite chèvre, et c'est tout.

Un jour qu'il examine les sculptures extérieures d'une chapelle près de Saint-Germain-l'Auxerrois, il sent une main se poser gravement sur son épaule. C'est Claude Frollo qui vient lui parler :

— Que faîtes-vous, maître Pierre ?

— Vous le voyez, monsieur l'archidiacre. J'admire ces pierres bien taillées et la beauté de ce bas-relief. [1]

— Vous êtes donc heureux ? l'interrompt l'archidiacre.

— En honneur, oui ! répond Gringoire. J'ai d'abord aimé des femmes, puis des bêtes. Maintenant j'aime des pierres. C'est aussi amusant et elles sont plus fidèles.

— Pierre Gringoire, dit l'archidiacre, qu'avez-vous fait de cette petite danseuse égyptienne ?

— Esmeralda ? Vous y pensez donc toujours ?

— Et vous, vous n'y pensez plus ?

— Peu... Mon Dieu, que la petite chèvre était jolie !

— Cette bohémienne ne vous avait-elle pas sauvé la vie ?

— On m'a dit qu'elle s'était réfugiée dans Notre-Dame, et qu'elle y était en sûreté, mais je ne sais pas si la chèvre s'est sauvée avec elle.

— Je vais vous en apprendre davantage, crie le prêtre. Dans trois jours la justice la reprendra, et elle sera pendue. Il y a un arrêt du parlement.

— Voilà qui est fâcheux, dit Gringoire.

— Elle vous a sauvé la vie, vous avez une dette envers elle. Vous devez trouvez un moyen de la faire sortir vivante de Notre-Dame.

Gringoire cherche l'inspiration un moment, un doigt sur le nez en signe de méditation. Puis il se penche à l'oreille de l'archidiacre et lui parle très bas, en jetant un regard inquiet d'un bout à l'autre de la rue où il ne passe pourtant personne.

— Je vais organiser quelque chose avec les truands de la Cour des Miracles.

---

1. **un bas-relief** : sculpture en relief sur le mur d'un bâtiment.

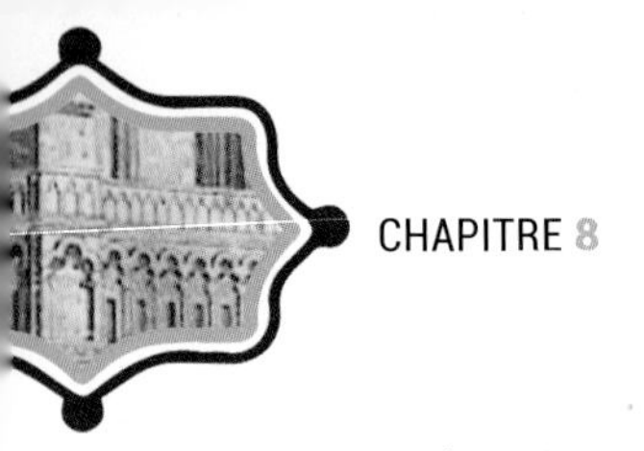

— C'est bon, à demain. Je vous attendrai à la porte Baudoyer, dit froidement l'archidiacre.

***

Le lendemain, au moment où le couvre-feu sonne à tous les clochers de Paris, nous retrouvons Gringoire pensif, dans la taverne de la redoutable Cour des Miracles. Il y règne un chahut extraordinaire. On y boit plus et on y jure plus qu'à l'ordinaire. Au dehors, des groupes s'entretiennent à voix basse, et ça et là un truand aiguise[2] une méchante lame de fer sur le pavé.

— Allons, vite ! dépêchons, armez-vous ! On se met en marche dans une heure ! crie le roi de Thunes à ses argotiers.

Un jeune excité, avec à la ceinture de nombreux poignards, crie :

— Noël, Noël ! Notre cause est juste, nous pillerons[3] Notre-Dame, nous sauverons la belle fille des juges et des prêtres et nous pendrons Quasimodo. Aujourd'hui je suis truand, aussi vrai que je m'appelle Jehan Frollo du Moulin. Versez-moi à boire !

La distribution d'armes finie, le roi de Thunes s'approche du duc d'Égypte :

— Camarade, le moment n'est pas bon. On dit que le roi Louis XI est à Paris.

— Raison de plus pour lui reprendre notre sœur, répond le vieux bohémien.

— Tu parles en homme, duc, dit le roi de Thunes. D'ailleurs ce sera facile. Il n'y a pas de résistance dans l'église. Les gens du

2. **aiguiser** : rendre la lame d'un couteau bien tranchante et pointue.
3. **piller** : voler tous les biens qui se trouvent dans un lieu, avec violence.

parlement seront bien attrapés quand ils viendront la chercher ! Boyaux du pape ! je ne veux pas qu'on pende la jolie fille !

Et il ajoute en criant :

— Minuit !

À ce mot, tous les truands, hommes, femmes, enfants, se précipitent en foule autour du roi de Thunes qui se tient debout sur une grosse pierre.

— Maintenant, silence pour traverser Paris ! On n'allumera les torches qu'à Notre-Dame ! Allons-y !

Dix minutes après, les cavaliers du guet s'enfuient épouvantés devant la longue procession d'hommes noirs et silencieux qui descendent vers le Pont-au-Change.

Cette même nuit, Quasimodo ne dort pas. Il vient de faire sa dernière ronde [4] dans l'église. Il n'a pas remarqué, au moment où il a fermé les portes, que l'archidiacre est passé près de lui et qu'il ne semblait pas content en le voyant verrouiller [5] avec soin l'énorme armature de fer. Depuis son clocher, il surveille tour à tour la cellule d'Esmeralda et Paris endormi. Seule une fenêtre brille, au loin du côté de la porte Saint-Antoine, à la Bastille.

Quand soudain, il distingue dans l'obscurité le mouvement d'une foule en colonne qui se dirige sur le parvis. Alors l'idée d'une tentative contre l'égyptienne se représente à son esprit. Doit-il réveiller la jeune fille ? La faire évader ? Par où ? Les rues sont investies et l'église est collée à la rivière. Pas de bateau ! Il n'y a qu'une solution, se faire tuer au seuil de Notre-Dame, résister du

4. **une ronde** : visite des lieux pour s'assurer que tout est normal.
5. **verrouiller** : fermer une porte avec un verrou, une serrure, des barres de fer.

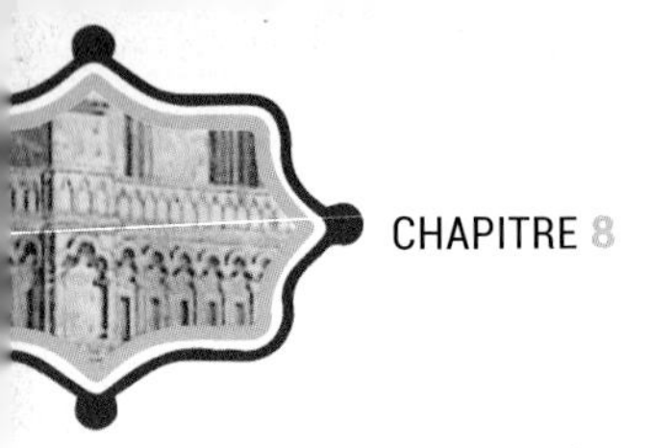

moins jusqu'à ce qu'il arrive du secours, s'il doit en venir, et ne pas troubler le sommeil d'Esmeralda.

Tout à coup devant la cathédrale, sept ou huit torches sont allumées. Quasimodo voit alors distinctivement une terrible troupe d'hommes et de femmes en haillons, armés de fourches[6] et de faux.[7] Clopin, roi de Thunes, s'adresse à son armée.

— En marche, fils ! crie-t-il. En avant les costauds !

Trente hommes robustes, munis de marteaux et de barres de fer, se dirigent vers la porte principale pour la travailler à coup de pieds-de-biche.[8] Mais la porte tient bon.

— Courage, camarades ! dit Clopin.

Quand soudain, une poutre[9] tombant du ciel écrase une douzaine de truands.

— Satan ! s'écrie le duc d'Égypte. Ça sent la sorcellerie !

— Forcez-moi cette porte ! crie le roi de Thunes.

Mais les truands n'osent plus approcher. Ils regardent l'église, ils regardent la poutre. La poutre ne bouge pas. L'édifice conserve son air calme et désert, mais quelque chose glace les truands.

— Barbe et ventre ! dit Clopin, voilà des hommes qui ont peur d'une poutre.

— Ce n'est pas la poutre qui nous ennuie, dit un vieux truand. C'est la porte avec ses barres de fer. Les pinces ne suffisent pas.

— Eh bien servez-vous de la poutre pour enfoncer la porte.

Au choc de la poutre, la porte à demi métallique résonne comme un immense tambour. Elle ne cède pas mais la cathédrale tout entière tremble et l'on entend gronder les profondes cavités de l'édifice.

---

6. **une fourche** : instrument agricole à plusieurs longues dents, muni d'un long manche.
7. **une faux** : instrument agricole avec une longue lame d'acier au bout d'un long manche.
8. **un pied-de-biche** : barre de fer qui sert à arracher les clous et forcer les portes.
9. **une poutre** : très grande pièce de bois qui sert à soutenir la charpente.

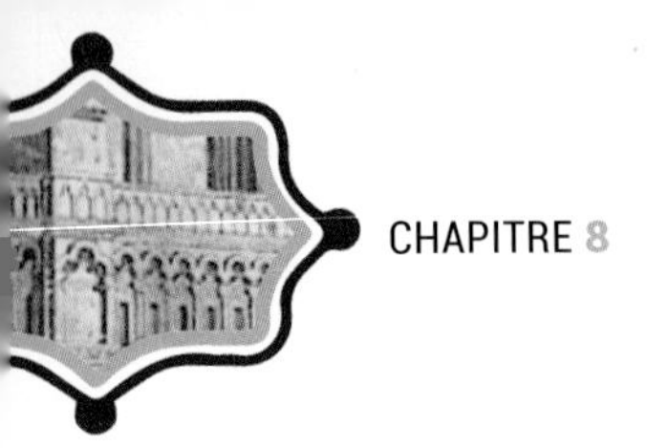

Au même instant, une pluie de grosses pierres tombe du haut de la façade sur les truands.

— Diable ! crie Jehan. Est-ce que les tours nous secouent leurs pierres sur la tête ?

Mais l'élan est donné et les truands battent la porte avec plus de rage encore, malgré les pierres qui font éclater les crânes à droite et à gauche. Le lecteur aura compris que cette résistance inattendue qui exaspère les truands vient de Quasimodo, qui n'a pas compris qu'ils viennent libérer Esmeralda et non la pendre, et accessoirement piller l'église. Par malheur, le hasard a servi Quasimodo. Toute la journée, des ouvriers ont réparé le toit de la tour sud et ils ont laissé là un arsenal complet : des pierres de taille,[10] des poutres et des feuilles de plomb en rouleaux.

Tout à coup, au moment où les truands se groupent pour un dernier effort autour du bélier, un cri, plus terrible encore que celui qui a éclaté et expiré sous la poutre, s'élève au milieu d'eux. Deux coulées de plomb fondu tombent du haut de l'édifice sur les truands qui prennent la fuite, jetant la poutre sur les cadavres.

Tous les yeux se lèvent vers le haut de l'église. Ce qu'ils voient est extraordinaire. Sur le sommet de la galerie la plus élevée, plus haut que la rosace centrale, une grande flamme monte entre les deux clochers. Au dessous, deux gargouilles vomissent[11] sans relâche cette pluie ardente.

Des truands se réfugient sous le porche de la maison Gondelaurier.

— Impossible d'entrer, dit Clopin.

---

10. **une pierre de taille** : grosse pierre taillée pour la construction des murs.
11. **vomir** : rejeter par la bouche des aliments ou des liquides non digérés.

L'Assaut à la cathédrale

— Voyez-vous ce démon qui passe et repasse devant le feu ? s'écrie le duc.

— Pardieu ! dit le roi de Thunes. C'est le damné sonneur, c'est Quasimodo.

— Nous n'entrerons pas par la porte. Il faut trouver le défaut de l'armure.

— A-t-on vu maître Gringoire ?

— Il s'en est allé alors que nous n'étions encore qu'au Pont-au-Change.

— Lâche bavard ! C'est lui qui nous pousse et il nous abandonne.

Car c'est bien Pierre Gringoire qui a poussé les truands à l'assaut de la cathédrale. C'est la première partie de la brillante idée qu'il a eu la veille, quand l'archidiacre lui demandait de sauver l'égyptienne.

C'est alors que Jehan accourt trainant bravement une longue échelle [12] sur le pavé. En un instant, on dresse l'échelle en appui contre la galerie inférieure. Jehan est le premier à passer la rambarde, mais aussi le seul car Quasimodo s'empare de l'échelle encombrée de truands du haut en bas et la balance dans le vide. Puis il attrape Jehan et le projette par dessus la rambarde. Le corps de l'écolier s'arrête au tiers de la chute, suspendu à une gargouille.

Un cri d'horreur s'élève parmi les truands.

— Vengeance ! crie le roi de Thunes.

Le lecteur n'a pas oublié qu'un moment avant d'apercevoir la bande nocturne des truands, Quasimodo a vu une lumière briller à

12. **une échelle** : dispositif constitué de deux montants reliés entre eux par de petits barreaux transversaux pour grimper dessus.

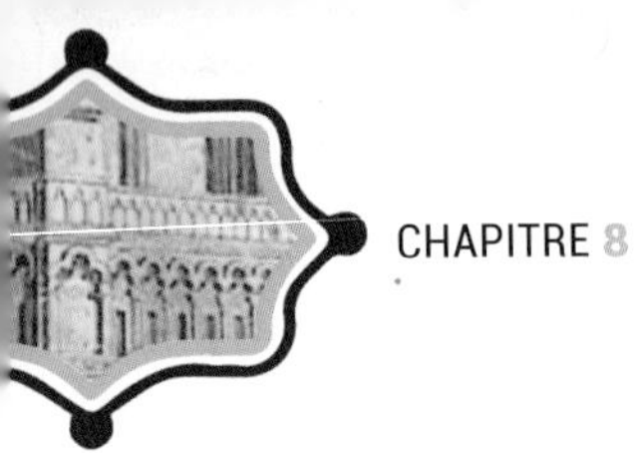

la Bastille. C'est la chandelle de Louis XI. Le roi de France travaille. Quand on vient l'informer des événements :

— Sire ! il y a une révolte. Les truands de la Cour des Miracles assiègent Notre-Dame. Ils veulent libérer une sorcière qui y est réfugiée.

— Pasque-Dieu ! s'exclame Louis XI. Qu'on écrase ces truands et qu'on pende cette sorcière. Oublions l'asile, la bonne Vierge nous pardonnera.

Quand les troupes du roi Louis XI, fortes de plusieurs centaines d'hommes parmi lesquels notre brave capitaine Phœbus, investissent le parvis, les truands sont déjà fort diminués. Mal armés, les combattants de la Cour des Miracles cèdent rapidement. Quand Quasimodo, qui n'a pas cessé un moment de combattre, voit cette déroute,[13] il court de joie vers la cellule de celle qu'il vient de sauver une seconde fois. Mais lorsqu'il arrive, la cellule est vide.

13. **une déroute** : sévère défaite d'une armée qui doit fuir.

Après la lecture

Compréhension écrite et orale

piste 09

1 Écoutez et lisez le chapitre, puis retrouvez le nom du personnage.

1 Qui est le jeune excité, avec à la ceinture de nombreux poignards ? Jehan Frollo du Moulin

2 Qui a poussé les truands à l'assaut de la cathédrale ? Pierre Gringoire

3 Qui donne l'ordre de forcer la porte de la cathédrale ? Clopin le roi de truands

4 Qui jette des pierres sur les truands ? Quasimodo

5 Qui travaille à la Bastille ? Le roi de France

Enrichissez votre vocabulaire

2 DELF Certains adjectifs changent de sens suivant leur place par rapport au nom qu'ils qualifient. Trouvez la signification de chaque expression.

1 [a] Une drôle de situation.
2 [b] Une situation drôle.
  a Une situation bizarre, étrange.
  b Une situation amusante.

3 [a] Un pauvre homme.
4 [b] Un homme pauvre.
  a Un homme qui a peu d'argent.
  b Un homme malheureux.

5 [a] Un grand homme.
6 [b] Un homme grand. qui est grand
  a Un homme courageux, important.
  b Un homme de grande taille.

7 [a] Une sage-femme.
8 [b] Une femme sage. qui est sage
  a Une femme qui aide à faire naître les enfants.
  b Une femme tranquille et réfléchie.

9 [b] La dernière semaine.
10 [a] La semaine dernière.
  a La semaine passée.
  b La semaine qui conclut le mois, l'année...

Grammaire

Le conditionnel présent

Le conditionnel est le mode utilisé lorsque celui qui parle envisage ce qu'il dit comme simplement possible. Il est souvent précédé d'une subordination circonstancielle de condition.

Si Esmeralda m'aimait, je ***serais*** *heureux.*

Le conditionnel peut aussi apparaître seul pour demander quelque chose poliment ou exprimer un désir ou un regret.

Je ***voudrais*** *une chambre qui donne sur la cour.*

Pour former **le conditionnel présent**, on ajoute les terminaisons **-ais, -ais, -ait, -ions, -iez, -aient**

à l'infinitif du verbe.

Manger : je mangerais...   Partir : je partirais...

Les verbes irréguliers subissent les mêmes changements qu'au futur.

Être : je serais...   Avoir : j'aurais...   Aller : j'irais...

Faire : je ferais...   Prendre : je prendrais...   Devoir : je devrais...

3 Conjuguez les verbes entre parenthèse au conditionnel présent.

1 Gringoire est triste, il .... (*vouloir*) avoir des nouvelles de Djali.

2 Les truands .... (*aimer*) piller la cathédrale.

3 Si j'étais le roi, je .... (*sauver*) Esmeralda.

4 Si elle était tuée, Quasimodo ne le .... (*supporter*) pas.

5 Il .... (*être*) content de se marier avec elle.

6 S'il continuait ainsi, nous .... (*finir*) par ne plus venir le voir.

Coin Culture

L'abolition de la peine de mort en France

En 1981, l'Assemblée nationale adopte une loi qui supprime définitivement la peine de mort. C'est l'aboutissement d'un long combat mené depuis deux siècles par des parlementaires, des avocats et des penseurs qui ont défendu la cause de l'abolition face à une opinion souvent opposée.

Longtemps ressentie comme une réparation indispensable et comme une garantie de sécurité pour les sociétés, il faut attendre le XVIIIe siècle pour que la légitimité de la peine capitale soit remise en cause.

Tout au long du XIXe siècle, de nombreux ouvrages ouvrent le débat sur le droit de l'État de supprimer la vie. Face à une pensée conservatrice qui voit dans le bourreau un pilier de l'ordre social, Victor Hugo publie *Le Dernier jour d'un condamné* (1829), un vibrant plaidoyer pour l'abolition. Élu député, Hugo dénonce, à la tribune de l'Assemblée, la barbarie de ce châtiment.

Au XXe siècle, l'écrivain Albert Camus est l'un de ceux qui luttent pour « mettre la mort hors la loi ».

La dernière exécution capitale en France a eu lieu en 1977.

4 **DELF** **Associez les mots à leur définition.**

1	☐	L'abolition.	a	L'ensemble des idées d'une population.
2	☐	Un aboutissement.	b	La fin, le résultat d'une action.
3	☐	Une opinion.	c	Action d'annuler ou de supprimer.
4	☐	La peine capitale.	d	Sanction sévère qui frappe un condamné.
5	☐	Un châtiment.	e	Condamnation à mort.
6	☐	La barbarie.	f	Pour qualifier un caractère cruel et féroce.

Production écrite et orale

5 **À l'oral. Lancez un débat en classe sur la peine de mort.**

6 **DELF** **À l'écrit. Dans *Le Dernier jour d'un condamné*, Hugo fait parler un homme dans les dernières heures précédant son exécution. À votre tour d'imaginer ce récit (160-180 mots).**

CHAPITRE 9

La Mère et la fille

piste 10

Le lecteur se souviendra que Claude Frollo et Pierre Gringoire avait convenu d'un rendez-vous à la porte Baudoyer. À une heure du matin, les deux hommes se sont retrouvés et ont fait chemin vers Notre-Dame. L'archidiacre portait avec lui les clefs des tours et du cloître[1] de la cathédrale.

Au moment où les truands commençaient leur attaque, Esmeralda dormait. Réveillée par le bruit alentour, elle est restée cachée dans sa cellule, ne comprenant rien à cette violence et pressentant une issue[2] terrible. Quand soudain, deux hommes ont pénétré dans sa cellule. Elle a reconnu le poète, mais elle n'a pas su qui était l'autre, l'homme tout en noir au visage caché. Faisant

1. **un cloître** : bâtiment où vivent les prêtres d'une église.
2. **une issue** : manière dont une histoire se conclut, la fin d'un combat, d'une affaire.

confiance au poète, elle les a suivi à travers l'église, puis à travers le cloître et elle est montée dans le bateau qui les attendait pour traverser la Seine.

* * *

Quand le bateau accoste sur la rive[3] droite, Gringoire s'en va immédiatement avec la petite chèvre, laissant Esmeralda seule avec l'inconnu. La jeune fille regarde de tous les côtés. Il n'y a personne, le quai est désert. L'homme noir, sans proférer une syllabe, l'attrape par le bras et l'emmène prestement place de Grève.

— Qui êtes-vous ? demande-t-elle.

L'homme s'arrête, se tourne vers elle et baisse son capuchon.

— Oh ! bégaie[4]-t-elle pétrifiée, je savais que c'était encore lui !

— Écoute, dit l'archidiacre, nous sommes place de Grève. La destinée nous offre l'un à l'autre. Je peux encore te sauver. Si tu prononces le nom de Phœbus, je ne sais pas ce que je ferai, mais ce sera terrible.

Tout en parlant, l'archidiacre court et la fait courir, car il ne la lâche pas. Il marche droit au gibet, et le lui montrant du doigt, il dit froidement :

— Choisis entre nous deux. La potence ou moi ?

— Elle me fait encore moins horreur que vous.

— Meurs donc ! dit-il à travers un grincement de dents.

Esmeralda veut fuir, mais il la reprend, la secoue, la jette à terre, et marche à pas rapides vers la Tour-Roland, en la trainant sur le pavé. Arrivé devant la lucarne de la recluse, le prêtre s'écrie :

3. **la rive** : partie de la ville ou bande de terre qui borde une étendue d'eau.
4. **bégayer** : parler difficilement à la suite d'une grande émotion.

— Recluse ! Voici l'égyptienne ! Venge-toi !

Esmeralda se sent saisir brusquement au coude. C'est un bras maigre qui sort de la lucarne et qui la tient comme une main de fer.

— Tiens bien ! dit le prêtre. C'est l'égyptienne échappée. Ne la lâche pas. Je vais chercher les sergents. Tu vas assister à sa pendaison.

Un rire méchant répond de l'intérieur.

— Ha ! ha ! ha !

Le prêtre s'éloigne en courant dans la direction du pont Notre-Dame.

— Que vous ai-je fait ? demande Esmeralda à la recluse.

— Ce sont les égyptiennes qui m'ont volé mon enfant. Regarde ce soulier, c'est tout ce qui me reste.

En parlant ainsi, elle montre à l'égyptienne le petit soulier brodé.

— Montrez-moi ce soulier, dit Esmeralda. Dieu ! Dieu !

En même temps, de la main libre qu'elle a, Esmeralda ouvre le petit sachet qu'elle porte autour du cou et en sort un petit soulier identique à celui de la recluse. À ce petit soulier est attaché un petit papier sur lequel est écrit :

Quand le pareil tu retrouveras,
Ta mère te tendra les bras.

— Ma fille ! crie la recluse.

— Ma mère ! répond l'égyptienne.

C'est alors que les sergents de Louis XI arrivent place de Grève.

— Le prêtre a dit que nous la trouverons à la Tour-Roland, dit un lieutenant.

— Elle y est, dit un autre soldat désignant l'égyptienne.

Les soldats s'emparent d'Esmeralda, l'arrache aux bras de sa mère et l'entraînent vers le gibet.

— Ma mère ! crie la jeune fille avec un inexprimable accent de détresse, ma mère défendez-moi !

Mais la mère ne peut plus défendre son enfant. Quand le bourreau passe la corde au cou d'Esmeralda, le cœur de la recluse cesse de battre. Esmeralda soulève les paupières et voit le gibet de pierre étendu au-dessus de sa tête. Elle crie une dernière fois :

— Non ! non ! Je ne veux pas !

Et puis par épuisement et par désespoir, elle s'abandonne. Alors le bourreau la prend sur son épaule et met le pied sur l'échelle pour monter.

Depuis le haut de Notre-Dame, Quasimodo assiste au dernier supplice d'Esmeralda. Le bossu est désespéré. Pour la seconde fois dans sa vie, des larmes coulent de son œil.

L'archidiacre n'est pas loin. Le cou tendu, l'œil hors de la tête, il contemple ce couple épouvantable,[5] celui du bourreau et de la jeune fille. Au moment le plus effroyable, un rire de démon, un rire qu'on ne peut avoir que lorsqu'on n'est plus homme, éclate sur le visage pâle du prêtre. Quasimodo n'entend pas le rire, mais il le voit.

Le sonneur se jette alors sur l'archidiacre et le pousse dans le vide.

Ensuite, Quasimodo promène son œil depuis le corps pendu de l'égyptienne jusqu'à celui de l'archidiacre étendu en bas de la tour, et il dit avec un sanglot[6] qui soulève sa profonde poitrine :

— Oh ! tout ce que j'ai aimé !

* * *

5. **épouvantable** : horrible, infernal, effroyable.
6. **un sanglot** : contraction du thorax, accompagnée de larmes, sous l'effet de la tristesse.

Le soir, quand on relève sur le parvis le cadavre désarticulé de l'archidiacre, Quasimodo a deja disparu de Notre-Dame. Pierre Gringoire, lui, est parvenu à sauver la chèvre. Le poète obtiendra par la suite de beaux succès avec ses tragédies. Et Phœbus de Châteaupers ? Et bien lui aussi va connaître une fin tragique, puisqu'il va se marier.

* * *

Deux ans environ après les événements qui terminent cette histoire, quand on s'aventurera dans la cave de Montfaucon, on trouvera parmi les carcasses [7] affreuses deux squelettes dont l'un tient l'autre singulièrement enlacé. [8] L'un de ces deux squelettes, qui est celui d'une femme, porte autour de son cou un collier avec un sachet orné de petits morceaux de verre colorés. L'autre, qui tient celui-ci dans ses bras, est le squelette d'un bossu. Sa nuque n'est pas brisée, il n'a pas été pendu. Il est venu là, et il y est mort. Quand on le détachera du squelette qu'il enlace, il tombera en poussière. [9]

---

7. **une carcasse** : le cadavre sous forme de squelette.
8. **enlacer** : entourer de ses bras.
9. **une poussière** : minuscule particules de matière.

Après la lecture

Compréhension écrite et orale

piste 10

1 Écoutez et lisez le chapitre, puis indiquez si les affirmations sont vraies (V) ou fausses (F).

V F

1 Effrayée par l'attaque des truands, Esmeralda s'est enfuie seule de la cathédrale.

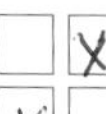

2 Le bateau accoste sur la rive droite.

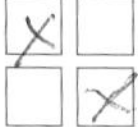

3 L'homme en noir emmène Esmeralda à la Sorbonne.

4 La recluse ne retrouvera jamais sa fille.

5 L'archidiacre a dénoncé Esmeralda aux sergents de Louis XI.

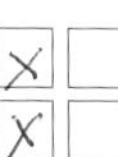

6 Esmeralda est pendue au gibet de la place de Grève.

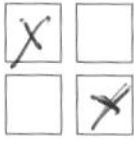

7 Des larmes coulent des yeux de l'archidiacre.

8 Quasimodo s'est laissé mourir à côté du cadavre d'Esmeralda.

Enrichissez votre vocabulaire

2 Associez chaque mot à la photo correspondante.

1 Des clefs
2 Une échelle
3 Un bateau
4 Un pied-de-biche
5 Une faux
6 Un collier

a

b

c

d

e

f

Compréhension orale

piste 11

3 DELF Écoutez et associez chaque enregistrement au personnage correspondant.

a ☐ Esmeralda
b ☐ Pierre Gringoire
c ☐ Claude Frollo
d ☐ la recluse de la Tour-Roland

Projet Internet

4 Vous voulez présenter l'histoire d'un vieux monument de votre région sur une page Internet.

1 Choisissez un monument qui vous intéresse : une église, un château, une vieille tour, un vieux bâtiment industriel, etc.
2 Recherchez des documents sur l'histoire de ce monument : sa construction, ses particularités architecturales, son histoire ancienne et actuelle, l'intérêt que les gens lui porte, etc.
3 Imaginez un classement des documents : par date, par thème, par type (vidéo, textes, images, son), etc.
4 Imaginez l'organisation et la présentation des documents sur un site Internet.

Production écrite et orale

5 **À l'oral. En classe, trouvez les vrais sujets du roman de Victor Hugo et discutez-en. Sont-ils toujours d'actualité ?**

6 DELF **À l'écrit. Choisissez une époque autre que le Moyen Âge et un lieu autre que Paris, puis transposez le roman de Victor Hugo. Écrivez le synopsis de votre film (160-180 mots).**

Notre-Dame de Paris au cinéma et au théâtre

Notre-Dame de Paris, film de Jean Delannoy, 1956.

Notre-Dame de Paris est un roman historique et dramatique avec des personnages attachants et accablés par leur destin. Bref, c'est une histoire qui comporte tous les ingrédients pour une bonne adaptation pour le théâtre ou le cinéma.

À l'opéra

La toute première adaptation est le fruit de la collaboration entre Hugo lui-même et la compositrice Louise Bertin. En 1836, l'opéra en quatre actes intitulé *La Esmeralda* voit le jour mais il ne sera représenté que six fois, faute de succès.

Au cinéma

La première adaptation pour le cinéma est française : Albert Capellani réalise *Notre-Dame de Paris* en 1911, film muet en noir et blanc de 36 minutes. En 1923, Wallace Worsley réalise *Le Bossu de Notre-Dame*, une superproduction hollywoodienne avec une cathédrale reconstruite en plein désert californien et plus de 2000 personnes pour jouer la foule. *Notre-Dame de Paris* de Jean Delannoy, en 1956, est la première adaptation en couleur. L'Italienne Gina Lollobrigida joue la belle Esmeralda et l'Américain Anthony Quinn interprète magistralement Quasimodo. C'est le poète Jacques Prévert qui est chargé du scénario et des dialogues.

Notre-Dame de Paris, comédie musicale de Luc Plamondon.

En famille

En 1996, les studios Disney sortent sur les écrans *Le Bossu de Notre-Dame*. Cette adaptation pour les enfants est nettement moins dramatique que l'œuvre originale : à la fin du dessin animé, Quasimodo et Esmeralda sont deux héros bien vivants et ils sont acclamés par la foule. Il y aura même une suite en 2002.
Depuis 1998, la comédie musicale *Notre-Dame de Paris* de Luc Plamondon connaît un grand succès à travers toute la France, et même à l'étranger. En 2002, une version italienne est créée.
Décidément, l'œuvre de Victor Hugo ne manque pas de souffle !

1 DELF ***Lisez attentivement le dossier et dites si les affirmations suivantes sont vraies (V) ou fausses (F).***

		V	F
1	Louise Bertin est une compositrice d'opéra.	X	
2	La première adaptation pour le cinéma est française.	X	
3	Le film de Wallace Worsley est tourné à Paris.		✓
4	Le poète Jacques Prévert a écrit une adaptation du roman de Hugo.	X	
5	Quasimodo et Esmeralda meurent à la fin du dessin animé réalisé par les studios Disney.		X
6	La comédie musicale de 1998 n'a jamais été jouée à l'étranger.		X

1 Remettez les dessins dans l'ordre chronologique de l'histoire, puis décrivez-les à l'aide d'une phrase.

2 **Cochez l'affirmation correcte ou les affirmations correctes pour chaque personnage.**

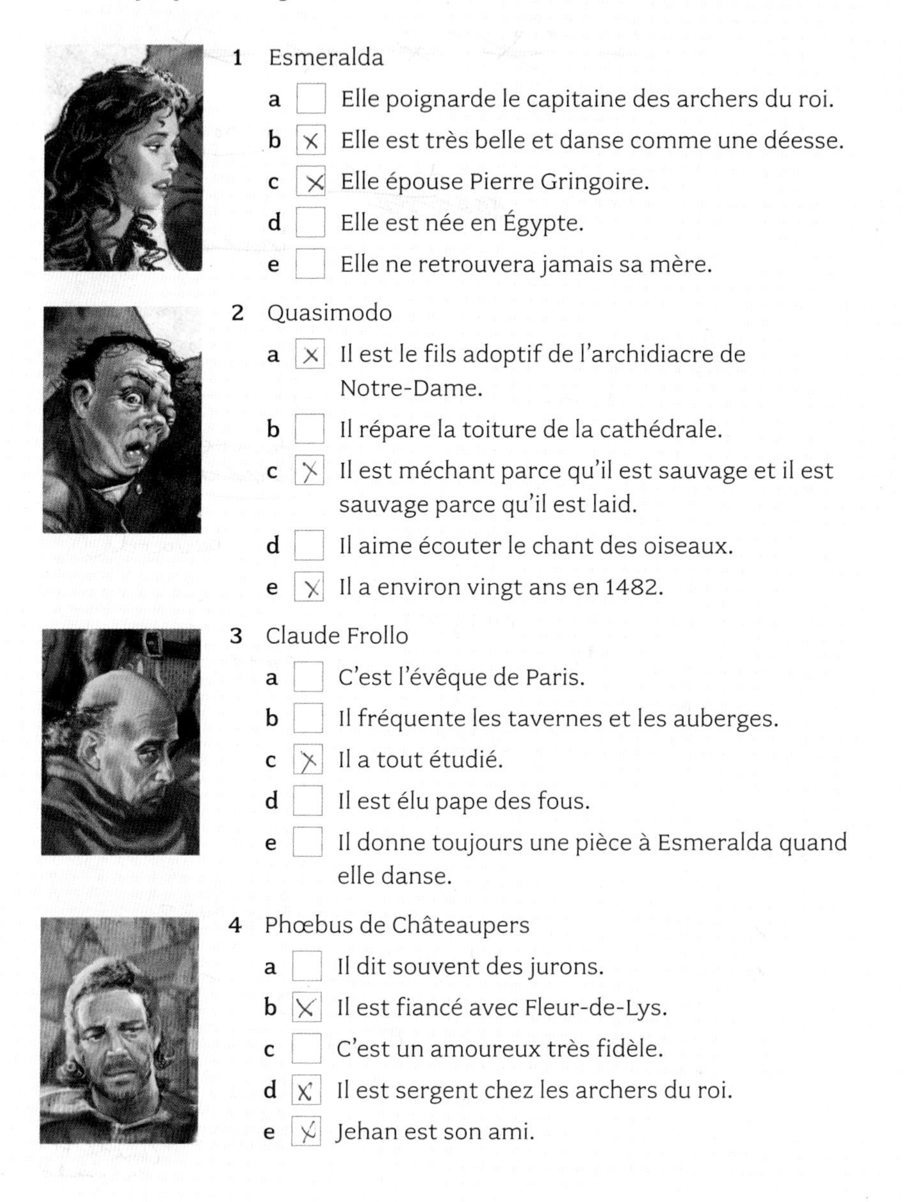

1 Esmeralda

- a [ ] Elle poignarde le capitaine des archers du roi.
- b [x] Elle est très belle et danse comme une déesse.
- c [x] Elle épouse Pierre Gringoire.
- d [ ] Elle est née en Égypte.
- e [ ] Elle ne retrouvera jamais sa mère.

2 Quasimodo

- a [x] Il est le fils adoptif de l'archidiacre de Notre-Dame.
- b [ ] Il répare la toiture de la cathédrale.
- c [x] Il est méchant parce qu'il est sauvage et il est sauvage parce qu'il est laid.
- d [ ] Il aime écouter le chant des oiseaux.
- e [x] Il a environ vingt ans en 1482.

3 Claude Frollo

- a [ ] C'est l'évêque de Paris.
- b [ ] Il fréquente les tavernes et les auberges.
- c [x] Il a tout étudié.
- d [ ] Il est élu pape des fous.
- e [ ] Il donne toujours une pièce à Esmeralda quand elle danse.

4 Phœbus de Châteaupers

- a [ ] Il dit souvent des jurons.
- b [x] Il est fiancé avec Fleur-de-Lys.
- c [ ] C'est un amoureux très fidèle.
- d [x] Il est sergent chez les archers du roi.
- e [x] Jehan est son ami.

3 Complétez les phrases avec les verbes proposés.

céder se moquer fouetter bavarder soutirer
ligoter trinquer tromper rougir dévorer

1 Les écoliers ont grimpé sur les fenêtres pour .... des honnêtes gens.
2 L'archidiacre va se faire .... par le vilain borgne.
3 Le capitaine donne l'ordre à ses archers de .... Quasimodo.
4 Le duc d'Égypte et l'empereur de Galilée cognent leur verre pour ....
5 Le juge pense .... le public en donnant l'impression d'écouter.
6 Le bourreau prend une lanière de cuir pour .... le dos de Quasimodo.
7 Fleur-de Lys et ses amies sont sur le balcon pour .... de tout et de rien.
8 La vue de Phœbus fait .... le visage d'Esmeralda.
9 Jehan est joyeux parce qu'il a réussit à .... une belle somme d'argent.
10 Esmeralda ne veut pas .... aux avances de l'archidiacre.

4 DELF Répondez aux questions. Attention à celles sans réponse dans le texte.

1 En quelle année se déroule l'histoire ?
2 Qui est le roi de France ?
3 Qui sont les chefs de la cour de Miracles.
4 Qui est la mère de Quasimodo.
5 Esmeralda retrouve-t-elle sa mère ?
6 Le juge Barbedienne est-il marié ?
7 Listez tous les personnages qui meurent dans le roman.
8 Quel est le personnage qui s'en sort le mieux ?

5 **Écrivez la légende de chaque image.**

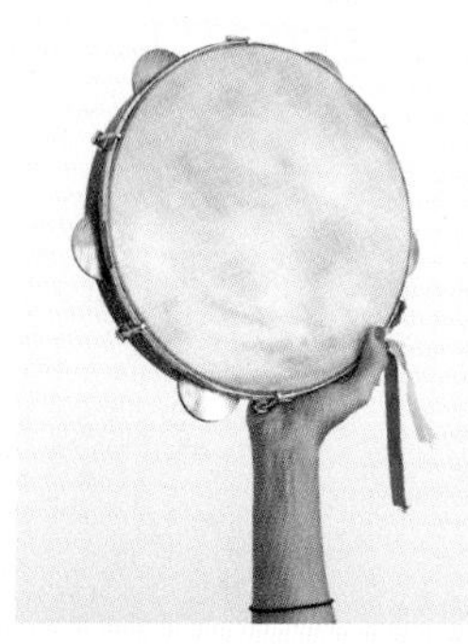

1. une tambarine

2. l'évêque

3. un aveugle

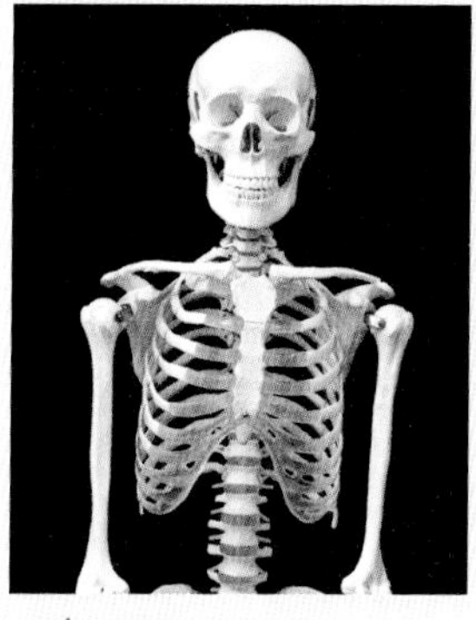

4. la squellette

5. une chaussete

6. feuille

7. un capuchon

8. un pot

9. la clocher

Les structures grammaticales employées dans les lectures graduées sont adaptées à chaque niveau de difficulté. Tu peux trouver sur notre site Internet, blackcat-cideb.com, la liste complète des structures utilisées dans la collection.
L'objectif est de permettre au lecteur une approche progressive de la langue étrangère, un maniement plus sûr du lexique et des structures grâce à une lecture guidée et à des exercices qui reprennent les points de grammaire essentiels.
Cette collection de lectures se base sur des standards lexicaux et grammaticaux reconnus au niveau international.

Niveau Trois B1

Les pronoms personnels groupés
Les pronoms relatifs simples (*où/dont*) et composés
La mise en relief
Le discours indirect au passé
La forme passive
Le passé simple, le plus-que-parfait, le futur antérieur
Le conditionnel présent et passé
Le subjonctif (identification)
Le passé récent
L'infinitif
Le gérondif
L'accord du participe passé (particularités)
La concordance des temps
Les phrases hypothétiques complexes

Activez la version interactive de ce livre !

eReaders

- Vous pourrez dans chaque livre : **changer la police pour une lecture plus aisée, écouter la version audio synchronisée avec le texte et effectuer des exercices interactifs.**
- Contrôlez vos résultats grâce à la **section « statistiques »**.
- **Connectez votre classe** et suivez la progression de chaque élève.

1 Allez sur blackcat-cideb.com/digital. **Inscrivez-vous** ou **identifiez-vous.**

2 Insérez le **code** ci-dessous pour activer le livre et télécharger les ressources numériques.

3 Accédez à **eReaders** et vous trouverez le livre et le livre audio dans votre bibliothèque personnelle.

eReaders est disponible pour le web et les dispositifs mobiles:

Web

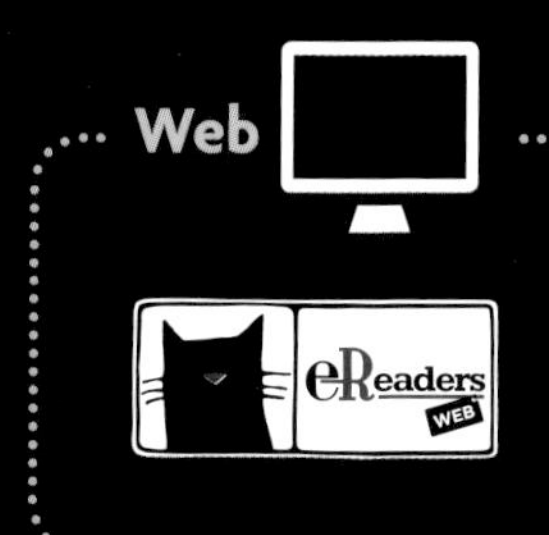

App

DEA-2E60FB38B

Notre-Dame de Paris

Paris, année 1482. Un drame va se nouer autour de la cathédrale. Le destin d'Esmeralda, jeune et belle danseuse bohémienne, celui de Quasimodo, le sonneur de cloches bossu, celui de Claude Frollo, archidiacre et alchimiste tourmenté, et celui de Pierre Gringoire, poète sans le sou, vont être réunis par la fatalité et par la cruauté de la justice moyenâgeuse.

Tout au long de l'histoire, tu trouveras :

- des exercices de grammaire, de vocabulaire, de compréhension et de production écrite et orale
- des activités de type DELF
- des dossier : *Victor Hugo ; Paris au Moyen Âge ; Quasimodo et autres monstres au bon cœur ; Paris, capitale mondiale des cinémas ;* Notre-Dame de Paris *au cinéma et au théâtre*
- enregistrement intégral du texte

Télécharge les solutions des activités sur le site Internet : blackcat-cideb.com

Regarde à l'intérieur du livre pour comprendre comment télécharger notre application gratuite.

eReaders

LIRE ET S'ENTRAÎNER

- Niveau 1 CECR A1
- Niveau 2 CECR A2

- Niveau 4 CECR B2

Nombre de mots : **12.000**

Victor Hugo
NOTRE-DAME DE PARIS
ISBN 978-88-530-1637-9
CIDEB

ISBN 978-88-530-1637-9